KB259651

이벤트의 마력

21세기의 이벤트 파워와 비전

히라노 아키오미 지음

정무형·가나이 노부요시 옮김

서울출판미디어

국립중앙도서관 출판시도서목록(CIP)

이벤트의 마력 : 21세기의 이벤트 파워와 비전 / 히라노
아키오미 지음 ; 정무형 ; 가나이 노부요시 〔공〕옮김. --
서울 : 서울출판미디어, 2003
    p. ;   cm. --

ISBN 89-7803-127 93320

326.144-KDC4
394.6068-DDC21   CIP2003001671

한국어판 발간에 즈음하여

요즈음, 나와 한국과의 관계가 날로 깊어지고 있다. 의도한 것은 아니었지만, 문득 돌아보니 그렇게 되어가고 있었다. 물론 나는 그것을 매우 기뻐하고 있다.

내가 맨 처음으로 한국을 접한 것은 1993년에 열린 대전 국제박람회 때였다. 벌써 10년 전의 일이다. 일본관의 프로듀스를 맡고 있던 관계로 몇 번이나 한국을 방문할 기회를 얻은 나는, 회를 거듭할수록 한국을 좋아하게 되었다. 그리고 일이 끝난 후에도 한국팬으로서 개인적으로 한국을 종종 방문하게 되었다.

최근에는 한국 이벤트계의 지도자분들과 교제하는 기회가 많아지고 있다. 월드컵 공동개최를 계기로 한·일 양국의 이벤트 관계자간의 교류가 깊어지는 기운이 조성되었고, 내가 일본의 이벤트 전문가들이 만든 직능단체인 '일본 이벤트 업무 관리자 협회' 회장을 맡고 있는 관계로 몇 번이나 한·일 관계자의 미팅에 초대되는 일이 있었기 때문이다. 본서의 한국어판 감수를 감당해주신 정무형 선생님이나, 번역을 해주신 가나이 선생님과도, 그런 가운데 서로 알게 되었다.

게다가 2002년 말에는 나의 책 『이벤트 플래닝 핸드북』(서울출판미디어, 2002)이 한국에서 번역·출판되었고, 그 무렵에 한국문화예술진흥원의 초대를 받아 서울에서 강연하는 기회도 가졌다. 약 5시간의 강의 뒤에 질의응답이 2시간이나 계속된 전대미문의 강의였다. 자리를 가득 메운 청중이 끝까지 열심히 귀를 기울여주었기에 오히려 강연을 했던 내가 감동했던, 잊을 수 없는 체험이었다.

그리고 다시금 나의 새로운 책이 한국어로 출간될 예정이어서 매우 기쁘고 영광스럽게 생각한다. 이벤트의 프로는 물론이고, 이벤트에 흥미를 갖고 있는 많은 분들 역시 읽어주기를 바라는 책이다. 무엇보다도, 장래를 짊어진 젊은이들이 이 책을 통해 이벤트의 즐거움이나 가치를 발견하게 된다면, 나는 기대 이상의 기쁨을 얻게 될 것이다.

나는 또한 한·일 양국의 이벤트 관계자간에 교류와 제휴가 더욱 활발해져, 이벤트가 한·일 교류의 엔진으로서 지금까지 이상의 역할을 감당할 필요가 있다고 생각한다. 물론 나는 이를 위해 미력이나마 수고를 다할 생각이다.

나는 앞으로도 한국과의 관계가 더욱 깊어지는 것을 바라고 있고, 반드시 그렇게 될 것으로 믿는다. 그리고 향후에 양국의 이벤트 관계자가 공동 제작하는 거대 이벤트를 만들었으면 하는 바람을 갖고 있다.

마지막으로 『이벤트 플래닝 핸드북』에 이어, 감수의 노고를 감당해주신 정무형 선생님, 세세한 뉘앙스까지 정확하게 번역해주신 가나이 선생님께 다시금 감사의 마음을 전하고 싶다. 두 사람은 내가 존경하는 분들이고, 중요한 친구다. 두 분이 없었다면 이 책이 출판될 수 없었다. 감사를 드린다.

2003년 12월

히라노 아키오미

平野暁臣

머리말

우리들의 생활중에는 매일 다양한 '사건'이 일어난다. 즐거운 사건도 있는 반면 슬픈 사건도 있고, 오랫동안 준비를 거듭한 끝에 겨우 실현되는 사건도 있으며 돌발적인 사건도 있다. 매일 다양한 형태로 일어나는 '사건'은 우리들의 일상에 리듬을 만들어주고, 악센트를 준다.

사건(accident)이나 해프닝(happening)을 제외하면, 대부분의 사건은 누군가가 의도적으로 '꾸민' 일이다. 상대와 새로운 관계를 만들기 위해서, 혹은 지금까지의 관계를 변화시키기 위해서, 사람은 '일'을 만들어낸다. 우리들은 어떤 목적을 달성하는 수단으로서 '일'을 꾸민다. 누군가에게 무엇인가를 전하고 싶다, 누군가와 무엇인가를 이뤄내고 싶다, 누군가를 어딘가로 이끌어가고 싶을 때, 그러한 소원을 이루고 싶다면, 그 대상을 상대로 직접 일을 꾸미는 것이 가장 확실하고 효과적이기 때문이다.

이것을 이벤트라고 한다. 미리 계획하고, 특정한 의도를 가지고 집행하는 기획 혹은 꾸미는 사건. 크게는 정부나 일류 기업으로부터 작게는 개인 수준에 이르기까지, 누구나 이벤트를 도모한다.

정말이지 우리들의 일상생활은 방대한 수의 이벤트로 넘쳐나고 있다. 실제로, 평범하게 살아가면서도 다양한 이벤트를 만난다. 만국박람회나 올림픽 같은 국가적인 이벤트도 있으며, 여름축제나 동네축제 등의 지역 모임도 있다. 또한 비즈니스 포럼이나 사원 여행처럼 업무와 관련된 것도 있으며, 체육대회나 소풍 등 학교가 주최하는 것도 있다. 사적인 이벤트로는, 결혼 피로연이나 크리스마스를 즐기기 위한 두 사람만의 만남 등을 예로 들 수 있다.

거리를 걸으면 각종 캠페인이나 신제품 홍보 행사를 만나지 않는 날이 없고, 상업 시설은 물론 공공 시설에조차, 로비에는 수많은 '이벤트 스케줄 안내문'이 붙어 있다. 신문이나 잡지로부터 행정기관의 홍보지에 이르기까지 이벤트 정보가 넘쳐나고, 취미 모임이나 지인으로부터 '이벤트 공지'도 꾸준히 전달되어온다. 동네의 작은 이벤트도 있는 반면에 자녀가 다니는 학교의 초대도 있다. 업무 관계로 시찰해야 할 이벤트나 기술향상을 위해 참가하고 싶은 이벤트도 증가일로에 있다.

내가 어렸을 때는 아직 '이벤트'라는 말이 일본어로 정착되어 있지도 않았고 일반적으로 사용하는 말도 아니었다. 간혹 그 말을 들을 기회가 있다면 프로레슬링 중계중에 링 아나운서가 "오늘의 메인 이벤트~!"라고 외칠 때뿐이었기에 이벤트란 싸움과 관련된 것 같다고 생각했을 정도였다.

그 후 언제부터 영어의 'event'가 그냥 '이벤트'라는 말로 사용되었는지는 모르지만, '이벤트'가 시민권을 얻은 것은 겨우 20년 정도밖에 안 되었지만 이제는 텔레비전이나 잡지에서 이 말을 흔히 듣거나 볼 수 있게 되었다. 우리의 일상 생활 속에서 누구나 극히 당연한 말처럼 사용하고 있는 것이다. 마침내 초등학생인 내 딸도 "요즘 이벤트가 없어서 재미없다"라는 말을 쉽게 하기에 이르렀다.

물론 딸이 알고 있는 이벤트란 '도쿄 디즈니랜드'에 가거나 친구를 불러 케이크를 먹거나 하는 정도의 것이지만, 이벤트라는 용어를 그렇게 사용하는 것이 그다지 잘못된 것은 아니다. '이벤트'라는 말과 그 개념은 어느새 우리들 머리 속에 강하게 입력된 것이다.

결국 어린 내 딸까지 쉽게 언급할 정도로, 이벤트는 벌써 우리들의 삶의 일부가 되어버렸다. 역설적인 표현이지만, 반복적인 일상생활로부터 벗어난 '특별한 사건'이어야 할 이벤트가, 이제는 전혀 특별하지 않은 것이 되고 말았다.

그러나 유감스럽게도 '이벤트에도 전문가가 있다'는 것을 아는 사람은 그렇게 많지 않다. 처음 만난 사람이 나에게 "무슨 일을 하고 계십니까?"라고 질문을 할 경우에 "이벤트 프로듀서입니다"라고 대답하면, 상대방이 조금 당황하는 표정을 짓는 것을 몇 번이나 봤다. 이벤트 전문가라는 직업이 어떠한 것인지, 잘 그려지지가 않기 때문일 것이다.

그렇지만 많은 사람은 곧 "재미있는 직업이군요"라고 응답한다. 직업에 대한 이미지를 정확히 떠올릴 수는 없지만, 이벤트에 관련되는 것이라면 반드시 재미있을 것이라고 생각하는 것 같다. 정말로 그렇기는 하지만 이벤트를 제대로 알아주지 않는 것 같아 조금 섭섭하다.

사람들은 '이벤트'라는 말과 '프로듀서'라는 말을 각각 따로 잘 알고 있지만, '이벤트 프로듀서'는 잘 모른다. 그렇지만 그것은 어쩔 수 없는 일이라 생각한다. 중학생이 된 딸조차 아직 아버지의 직업을 이해하지 못하고 있다.

이벤트는 간단하게 말하면 '사건도 해프닝도 아닌, 단 1회에 벌어지는 사건'이다. '어떤 목적을 달성하기 위해서 시행되는 특별한 기획'이라고 해도 괜찮다.

'기획'인 만큼 이벤트에는 반드시 '무엇인가를 해내고자 한다'라는 의지가 있고, 이를 '꾸미는(연출하는)' 사람이 있다. 이 점에 있어서 국가적으로 시행하는 엑스포도, 두 연인들만의 크리스마스 파티도 똑같다.

젊은 사람이 크리스마스에 있는 돈을 다 털어서 프랑스식 레스토랑을 예약하는 것은 마음 속에 '첫 데이트를 성공시키고 싶다', '오늘이야말로 다음 단계로 나아가고 싶다'고 하는 특정한 목적을 달성하려는 의지가 작용하고 있기 때문이고, 그러한 성과를 거두기 위해서 고급 레스토랑을 선택하는 것이다. 이 경우 이를 꾸미는 사람은 말할 것도 없이 그 사람 자신이다. 송년회를 주관하는 간사도 여러 가지 연출방법을 생각해본다.

하지만 그러한 이벤트가 어느 규모 이상을 넘어서게 되면 아마추어가 직접 기획하기가 힘들어진다. 따라서 전문가가 있어서 전문적으로 '연출'을 대행해주기를 바라게 된다. 여기서 '이벤터(eventer, 일본식 영어)'라는 이벤트 전문가가 생겨나고 그 중의 한 직업으로서 나와 같은 프로듀서도 생겼다.

이벤트 그 자체는 사람들과 가까운 것일지라도 이벤트 업계는 틀림없이 '가깝고 먼 업계'로 생각될 것이다. 그곳에서 일하는 이벤트 전문가들을 '화려하고 근사한 외래의 신종 비즈니스 종사자'라고 생각하거나, 혹은 완전히 반대로 '어딘가 수상한 사기꾼'이라 생각할지도 모른다.

물론 이 두 가지 생각 모두가 오해이다. 이벤트는 기업활동이나 지역전략을 추진하기 위한 근대적인 전술이나 시책이지, 단순한 돈벌이 수법도 아니고 사람을 모으는 수단도 아니다. 실제로 이벤트는 이벤트만이 해낼 수 있는 수많은 성과를 거두어왔고, 현장의 이벤트 전문가(프로)들은 어떻게 하면 효과를 얻을 수 있을까를 진지하게 생각하여 합리적인 플랜을 구축하려고 노력하고 있다. '대충해도 된다'거나 '누구든지 아무나 할 수 있다'는 생각과는 거리가 먼, 수수한 비즈니스인 것이다.

이 책에서 나는 이벤트 전문가가 무엇을 생각하고 무엇을 꾸미는지를 간단하게 소개하려고 한다. 그리고 이벤트라는 도구가 어떤 힘을 가지며, 이벤트를 통해서 무엇을 할 수 있는지를 생각해보려 한다.

나는 이 책에서 '가깝고 먼' 이벤트의 현장을 알리는 것 이상의 무엇인가를 하고 싶다. 왜냐하면 앞으로의 사회에서 이벤트가 더욱 더 중요한 역할을 담당할 것으로 생각하고 있고, 누구나 이벤트를 잘 다루지 않으면 안 되는 시대가 되었다고 느끼기 때문이다.

다시 말하자면 현대는 이벤트적 발상과 방법이 불가결한 시대가 되었다는 것이다. 어떤 계획을 입안할 경우에도, 어떤 프로젝트를 관리하는 데에도, 이벤트적 관점을 갖고, 이벤트 기법으로 접근하는 것이 효과적이다.

이 경우, 무엇보다도 이벤트의 구조와 특성을 이해하고, 그 순서와 사고방식을 몸에 익혀, '연출 대상자'의 입장에서 벗어나 '연출자'의 입장을 취할 필요가 있다. 관객의 입장에 머물러 있다면 주어진 상황에 반응하고, 이끌려갈 뿐, 능동적으로 상황을 이끌어갈 수 없기 때문이다. 반면에 일단 이벤트 연출법을 배워두면, 사업상에서나 개인 생활에서도, 틀림없이 놀라운 능력을 발휘할 수 있다. 또 한 가지 중요한 사실은 누구나 이벤트 연출자가 될 수 있다는 사실이다.

나는 이 책을 통해서 독자들이 우선 이벤트의 내면을 깊이 들여다보기를 바란다. 거기에는 관객의 눈에 보이지 않는 다양한 드라마가 있다는 것을 알 수 있을 것이다. 시나리오나 배우는 항상 다르다. 재연은 없다. 그것이 이벤트의 재미있는 점이다.

차례

제4장 이벤트는 지역을 바꾼다 ——————— 121

제5장 이벤트 프로듀서의 자질 ——————— 157

제6장 이벤트의 미래 —————————— 191

제1장 이벤트 성공의 방정식

사상 최대의 관객을 모은 이벤트 — 오사카 만국박람회

일본에서 가장 성공한 이벤트 이야기부터 시작하자. 일본 전후 최대의 이벤트는 1970년에 열린 '일본 만국박람회'이다.

1970년 3월 15일, 오사카(大阪)의 셍리큐료(千里丘陵)에서 아시아 최초로 만국박람회가 열렸다. 정문 앞에 쇄도하는 군중이 밀리지 않도록 하기 위해 여러 사람의 경비원이 양손으로 바리케이드를 만들어, 천천히 장내로 유도해나가는 인상적인 장면을 아직까지 기억하고 있는 사람도 적지 않을 것이다.

이 오사카 만국박람회는 그야말로 거국적인 일대 이벤트였다. 고도성장 궤도에 오르고 있던 당시의 일본은, 그로부터 6년 전인 도쿄올림픽에 이어 만국박람회를 성공시켜서 가장 손쉽게 '선진국 대열에 합류했다는 것'을 국제사회에 드러내려고 했다. 그래서 이 프로젝트에 그야말로 '국가의 위신'을 걸고 있었다. 그리고 오사카 만국박람회는 이 계획을 보기 좋게 달성하는 대성공을 거두었을 뿐만 아니라, 전후 일본의 신기원이 되는 '사건'으로 평가를 받을 정도로 국민적인 사건이 되었다.

총 입장자수 6,400만 명. 당시 일본의 인구는 1억을 조금 넘는 정도였

EXPO '70 — 인류 역사상 최대의 이벤트(1970년)

기 때문에, 단순히 계산해서 일본인의 60%가 행사장으로 발길을 옮겼던 것이 된다. 이 숫자는 만국박람회 사상 최고 기록으로서, 아직도 갱신되지 않고 있다. 아마 인류 역사상 가장 많은 관객을 모은 이벤트가 오사카 만국박람회일 것이다.

어쨌든 하루 평균 35만 명, 최절정에 이른 날에는 하루에 83만 명이 행사장에 몰려들었다. 올림픽과 만국박람회를 계기로 하여 신칸센(新幹線: 일본고속철도)과 고속도로가 한꺼번에 정비되었다. 이 때문에 인생에서 한 번 있을까 말까한 이 이벤트를 보려고 전국 각지에서 사람들이 오사카로 몰려들었다. 당시의 유행어대로 그야말로 '민족 대이동'이었다.

EXPO '70 행사장 풍경 — '눈앞의 미래'가 일본 사람들을 열광시켰다

반 년간의 개최기간 중에 발생한 미아가 4만 8,000명, 유실물 5만 4,000건, 구급차 출동 1만 1,000회, 사용물량 750만 톤, 쓰레기 2만 톤…….

이런 통계만 보더라도 이 이벤트의 굉장함을 알 수 있다.

일본 경제에 준 충격도 엄청나다. 주최자인 박람회협회가 직접 집행한 예산만도 878억 엔(건설비 524억＋운영비 354억), 건설투자액은 관련 투자의 순수 증가분을 포함해서 3,500억 엔에 달해, 이것에 개최기간중의 소비 총액 3,300억 엔(행사장 내 480억＋행사장 외 2,120억 등)을 더한 만국박람회에 의한 직접 수요는 약 7,000억 엔에 달했다. 이것은 당시 GNP의 0.3%에 상당하는 금액이다. 게다가 만국박람회의 생산유발액수는 약 1조 5,000억 엔에 이르렀고 그 중 2/3에 해당되는 1조 엔이 오사카를 중심으로 한 킨키(近畿)지방으로 돌아갔다. 현재의 화폐가치로 환산

한다면 도대체 얼마가 될 것인가.

　　도카이도(東海道) 신칸센 이용자수 전년 대비 34% 증가.
　　킨키 지구의 호텔 객실수 전년 대비 58% 증가.
　　칼라필름 매출 전년 대비 59% 증가…….

　확실히 괴물이었다. 규모가 큰 파빌리온(전시관)에는 당시의 돈으로 수십억 엔이 투입되었던 것이다. 지금의 시대로는 믿을 수 없는 이야기이지만, 모두 30년 전에 실제로 일어났던 사건이다.

　330헥타르의 행사장에 위엄을 자랑하는 파빌리온이 무수하게 줄지어서는 광경은, 당시의 일본인에게 있어서 비일상(非日常)의 우주였다. 이 사상 최대의 박람회에 모든 일본 사람이 열병에 시달렸던 것도 무리는 아니었다. 어쨌든 처음 보는 놀라움이 상상을 초월할 정도로 행사장 안에 넘치고 있었던 것이다.

　그 전년 여름(1969년)에 인류를 최초로 달로 보낸 미국은 만국박람회의 대명사가 된 '달의 돌'을 비롯하여, '아폴로 8호'의 사령선(司令船)이나 '달 착륙선(着陸船)'의 실물 등 흥미로운 전시물을 대량으로 가지고 와 미국관을 최고로 인기 있는 관으로 만들었고, 냉전시대에서 동쪽 진영을 이끌고 있던 소련은 얇은 방석 같은 스타일의 미국관과 달리, 행사장 내에서 가장 높은 109미터의 파빌리온으로 그 존재를 과시하려고 했다. 내부에는 높이 80미터의 대공간을 마련하고 '소유즈(Soyuz)'*나 '보스토크(Vostok)'** 등의 인공위성이나 우주선을 공중에 매달아 대국의 위신을 유지했다. 참고로 미국관은 공기막구조(토쿄돔과 같이 공기압으로

---

* 구 소련의 유인 우주선. 우주 정거장 개발을 목적으로, 1967년 이후 각종 실험을 실시하고 있다.
** 구 소련의 1인용 위성선.

미국관 — 가장 높은 인기를 모은 파빌리온

지붕을 지탱하는 에어돔)로 지어졌지만, 당시는 아직 일본에 이 기술이 없었기 때문에 미 육군의 극동지구 공병대가 이 건물의 공사 감리를 맡았다.

이밖에도 첫 비행에 성공한 지 얼마 안 된 '콩코드'를 홍보한 영국이나 프랑스, 3만 개가 넘는 전구로 너무나 눈부신 '빛의 나무'를 제작한 스위스, 4만 장의 거울로 건물을 덮은 캐나다 등, 화제의 외국관이 가득했다.

일본의 기업 파빌리온도 뒤지지는 않았다. 본격적인 '비행 시뮬레이터(flight simulator)' 조종 체험으로 인기를 얻은 히타치(日立)관, 천정과 사방 벽을 이용한 거대 돔 영상과 입체 음향이 인기를 모았던 미도리관, 데즈카 오사무(手塚 治)*의 기획으로 다양한 로봇을 모은 후지 로봇관 등이 관심을 모으려고 열심히 애쓰며 전시를 겨루고 있었다. 최근 오사카 만국박람회 당시 매설했던 '타임캡슐'이 개봉되어 화제가 되었는데, 이 역시 만국박람회의 전시기획 중 하나였다. 마츠시타(松下)관의 인기 전시

---

* 데즈카 오사무(手塚治虫): 만화 「우주 소년 아톰」의 작가.

물이었던 이 타임캡슐은, 1970년의 '문화유산'을 5,000년 후의 후손에게 전하자고 하는 장대한 계획으로, 예정대로 30년 후인 2000년 3월에 2호기를 개봉해, 내부점검 후 다시 매설되었다. 다음에 개봉되는 것은 100년 후이다.

이렇게 하나하나 열거하자면 끝이 없다. '컴퓨터', '무빙 워크(움직이는 보도)', '화상전화', '레이저 광선', '신디사이저'······, 마지막에는 '인간 세탁기'라는 것까지, 당시의 평균적인 일본인의 일상생활과는 동떨어진 놀랄 만한 물건들이 행사장을 가득히 메우고 있었다. 만국박람회의 흥분과 흡인력은 압도적이었다.

처음 접하는 '외국'

또 한 가지, 오사카 만국박람회가 일본 국민에게 큰 충격을 주었던 것이 있다. 그 당시로는 아직도 먼 존재였던 '외국'을 단번에 친밀한 존재로 끌어들였던 것이다.

만국박람회에는 처음으로 참가하는 아시아·아프리카의 국가들을 포함해 84개의 국가·국제기관이 참가했다. 행사장에는 상시 약 8,500명의 외국인 스태프가 근무했으며, 해외로부터 만국박람회를 방문한 관광객도 실로 170만 명에 달했다. 여러 민족과 피부색의 사람들이 대량으로 행사장 안을 걸어다니고 있었던 것이다.

당시 일본에 거주 등록하고 있었던 외국인은 약 70만 명. 그 중 용모가 닮은 한국인과 중국인을 제외한 사람들은 전국에 불과 4만 명밖에 없었던 시대이다(참고로, 2000년의 등록 총수는 168만 명, 한국인·중국인을 제외한 수도 70만 명이 넘었다).

게다가 지금과는 달리 서민이 부담없이 해외에 갈 수 있는 시대가 아니었으므로, 많은 일본인에게는 외국인과 가까이 접할 기회가 거의 없었다. 그러므로 이것에는 강렬한 문화적 충격이 있었다. 만국박람회를 계기로 처음 외국인과 말을 주고받아보았다는 일본인이 많이 있었을 것이다.

숲처럼 서 있는 외국 파빌리온 안에서는 그 나라의 역사나 문화, 생활이나 산업 등의 정보와, 그 나라의 '살아 있는' 인간을 한번에 볼 수가 있었으니 이 교육효과는 실로 컸다. 게다가 파빌리온의 한 구석에 레스토랑이 설치되어 있는 곳이 많아서, 그 나라의 요리사가 만드는 '진짜' 요리를 먹을 수가 있었다.

그 나라의 가구로 장식된 공간에서 현지 외국인 직원에게서 접대 받는 경험은 그 자체만으로도 비할 것 없는 비일상적인 사건이었다. 실제로 내 친구 중 한 명은 프랑스관의 레스토랑에서 "아코디언 연주를 들으면서 식용 달팽이를 먹었다"는 것이 자신이 겪은 만국박람회 체험의 클라이맥스였다고 말하고 있다.

이렇게 말하는 나도 문화적 충격을 받았다. 어쨌든 그토록 많은 외국인을 본 것도, 직접 접했던 것도 처음이었다. 금발머리의 누나와 악수를 나누거나 민족 의상을 입은 아프리카 아저씨에게 "헬로" 하고 인사를 받으면서 머리를 어루만져진 것만으로도 대단한 사건이었다. 엉성하기만 한 음식인 햄버거조차 처음 손에 넣은 감격과 아까움 때문에 잠시 먹을 수가 없었던 정도였다.

최근 그때 행사장에서 가지고 다녔던 가이드북을 찾았는데, 그 안에 많은 사인이 남아 있었다. 외국관의 도우미나 운영진의 사인들이었다. 당시 나에게는 외국인이라는 사실만으로 누구나 영화 스타와 같이 빛나게 보였던 것 같다. 금발머리의 도우미 등뒤로 살그머니 다가와서 갑자기 머리카락을 뽑아가지고 도망가는 아이도 꽤 있었던 것으로 안다. 지금에 와서 생각한다면 믿기 어려운 이야기들이지만, 그 시대는 정말로 그랬다.

진짜 '외국'과 접했다고 하는 실감은 당시의 아이들에게 있어서만이 아니라 아마 대부분의 어른에게 있어서도 전무후무(全無後無)한 체험이었을 것이다.

이와 같이 오사카 만국박람회는 나에게 있어서 인생의 중대사였다.

도쿄에 사는 초등학교 6학년생이었던 나의 머릿속은 그해 봄부터 온통 만국박람회로 가득 차 있었다. 나뿐만 아니라 아이들이라면 예외없이 모두 그랬다. 어쨌든 텔레비전은 물론 소년 잡지, 만화, 문구, 전기가게에서부터 과자가게 앞까지, 아이들이 보는 온갖 미디어가 모두 만국박람회 일색이 되었던 것이다.

우주선, 로봇, 컴퓨터……, 듣기만 해도 가슴 설레는 메시지가 미디어를 통해 끊임없이 발신되고 있었다. 지금과는 달리 딱지나 팽이밖에 놀거리가 없었던 시대에 만화 속의 공상 세계가 갑자기 눈앞에 나타난 것 같았으니 흥분하지 않을 수 없었다. 당시 느꼈던 두근두근한 설레임은 무엇으로도 비유할 수가 없다.

당연히 그 당시 아이들은 만국박람회가 제시하는 '꿈'과 '미래'에 열중했다. 남자 아이들의 대부분은 만국박람회 매니아가 되었고, 교실에서 쉬는 시간이 되면 각자 얻은 지식으로 '만국박람회를 누가 더 잘 알고 있나'를 가지고 겨루기도 했다.

그러나 모든 사람이 오사카까지 갈 수 있었던 것은 아니었다. 아마 7-8명에 1명, 5명에 1명 정도였을 것이라 생각된다. 그 당시 일본은 지금처럼 풍부하지 않았다. 따라서 만국박람회를 보고 온 아이는 교실의 영웅이 될 수 있었고, 나도 영웅의 한 사람이 되었다. 그것도 꽤 높은 수준의 영웅이었다. 일주일간이라는 긴 시간을 들여 행사장의 구석구석을 다 돌아볼 수 있었기 때문이다.

일주일간 나는 혼자서 행사장을 걸어다녔는데, 모두가 신선했고 확실한 놀라움과 흥분의 연속이었다. 눈앞에 펼쳐진 광경은 상상을 초월하는 것이었고, 텔레비전이나 잡지에서 얻은 지식과 이미지와는 완전히 차이가 났다. 감동 그 자체였다. 정말로 우주에서 미래가 춤추듯 내려온 것 같은 느낌으로, 모든 게 반짝반짝 빛나보였다.

이렇게 만국박람회는 나에게 있어서의 원체험(原體驗)이 되었다. 그때의 충격은 말로 표현할 수 없을 정도로 컸고, 그 이후에도 오사카 만국박람회 체험에 필적(匹敵)할 만한 경험을 해본 적이 없다. 그만큼 오사카 만국박람회는 나에게 있어서 큰 사건이었다.

물론 모든 세대가 그랬던 것은 아니다. 내가 초등학교 6학년생이었다는 점이 크게 작용했을 것이다. 그 당시 일본 대학생 이상의 세대는 만국박람회가 1970년 안보투쟁(安保鬪爭)*으로부터 민중의 관심을 돌리기 위한 정부의 음모라며 '반박(反博)'을 외쳤고, 나보다 어린 세대는 불쌍하지만 너무 어려서 거의 기억하지 못했다. 아마 내 연령 위아래 몇 년의 세대만이 순수하게, 있는 그대로 만국박람회를 받아들였던 것이다.

내가 이벤트의 세계에 들어갔던 것도 그때의 감동을 잊을 수 없어서, 같은 경험을 다음 세대에도 느끼게 해주고 싶다고 생각했기 때문이다. 만약 내가 오사카 만국박람회를 만나지 않았다면, 지금 이 일을 하고 있지 않을 것이다.

만국박람회의 상징 '태양의 탑'

사실은 또 하나, 오사카 만국박람회와 관련하여, 나에게는 개인적으로 깊은 추억이 있다. 바로 '태양의 탑'이다. 백모(伯母)가 50년간 이 탑을

---

* 일본안전보장조약(日本安全保障條約) 개정 반대 투쟁. 1959년부터 1960년에 걸쳐 전국적으로 전개되었고, 특히 1960년 5월의 자민당 단독 강행체결에 대해 최대 규모의 투쟁이 발생되었다. 또한 1970년에도 조약의 연장을 둘러싼 반대운동이 벌어졌다.

태양의 탑 — 오사카 만국박람회의 상징

만든 오카모토 타로(岡本太郎, 1911-1996)의 비서 생활을 했던 관계로, 내가 철이 들었을 때는 이미 타로 씨가 친밀한 존재였다.

내가 어렸을 적에는 타로 씨를 무언가 끌로 파고 있는 러닝 셔츠와

오카모토 타로 — 이단의 예술가

반바지 모습을 한 목수라고만 생각하고 있었다. 그가 일본에서 가장 유
명한 예술가임을 알게 된 것은 상당한 시간이 흐른 후의 일이다.
　이 '태양의 탑'을 만들었던 타로 씨의 아오야마(青山)의 아틀리에는 지금은 '오카모토 타로 기념관'이 되어 있다. '만국박람회 소년'이 되기 2년 정도 전쯤에, 나는 거기서 그 원형을 본 적이 있었다. 아마도 완성된 후 얼마 안 된 무렵이었다고 생각된다.

그때는 만국박람회의 일 등을 전혀 몰랐기 때문에 그것이 무엇인지는 몰랐지만, 괴수(怪獸)를 연상하게 하는 흥미로운 모습과 코를 뚫고 나온 모양의 우주 교신용 안테나(실은 피뢰침)가, 어린 나의 심금을 울렸다. 한눈에 좋아하게 되어, 그 자리에 못 박힌 듯 서 있었다. 우연이기는 하지만 나는 '태양의 탑'을 가장 빨리 만난 사람인 것이다.

'태양의 탑'은 일본 사람들은 거의 다 알고 있었지만, 그것이 박람회의 파빌리온이었던 것을 아는 사람은 의외로 많지 않다. 대부분의 사람들이 '거대한 조각'이라고 생각하지만, 그렇지는 않다. 주최자인 박람회 협회로부터 테마 출전 프로듀서로 선출된 타로 씨가 테마관의 일부로 만들었던 것이다.

만국박람회의 핵이 되는 테마관의 컨셉을 만들어, 플래닝에서부터 현장의 제작까지 지휘하는 것이 타로 씨의 직책이었다.

박람회의 테마는 '인류의 진보와 조화'. 이것을 눈으로 보이는 형태로 구체적으로 표현해야 한다. 규모, 내용 모두 전례도, 경험도 없는 일이었다. 타로 씨는 이 일을 진행시키기 위한 프로듀서 오피스로서 '현대예술 연구소'를 만들어, 그곳에 많은 젊은 크리에이터(creator)를 모았다. 거대 프로젝트의 심장부를 만들기 위해서였다.

타로 씨의 지휘 아래, 구체적인 설계나 연출의 실무는 소집된 전문가들이 프로젝트 팀을 구성해서 담당했다. 아직 '디스플레이 디자인'이라는 말도 없던 시대, 그들은 건축, 영화, 연극, 음악, ID, 사진 등, 다양한 주변 분야로부터 옮겨온 인재였다.

실제 조형의 디자인을 담당한 것은 영화나 무대의 미술 스태프들이었고, 영상 소프트는 학습교재를 만들던 팀이 맡는 식이었다. 조명담당은

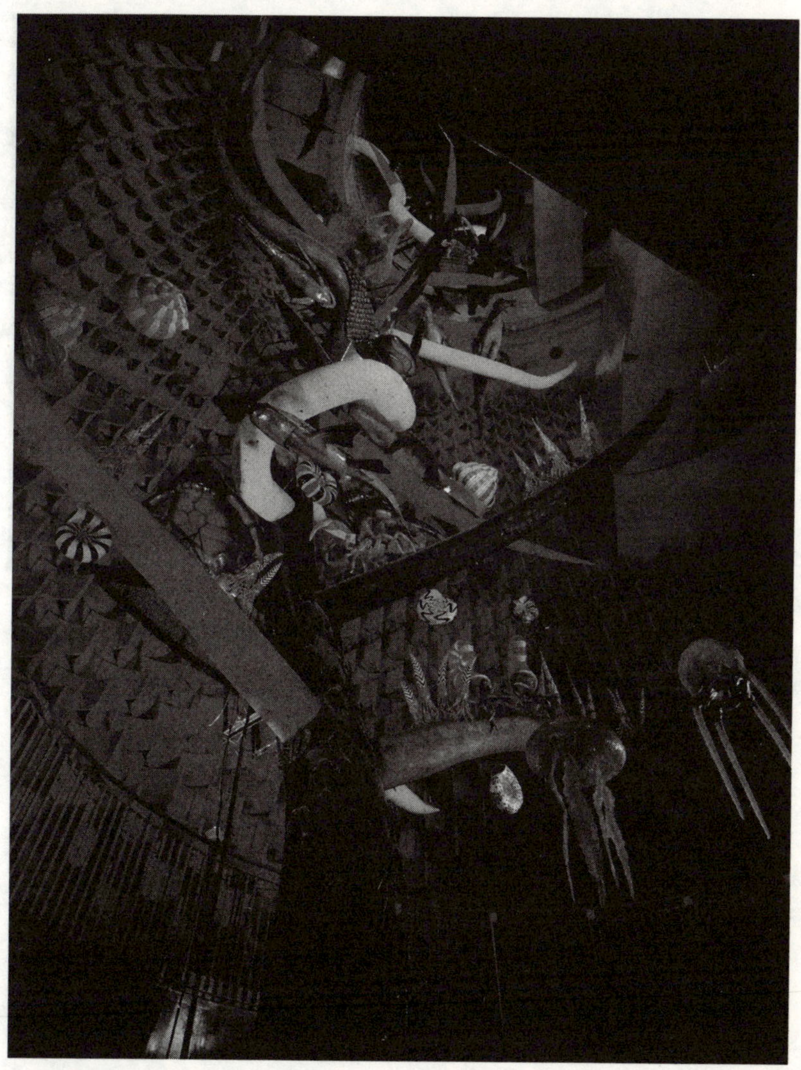

테마관 내부 — 생명의 나무

무대의 세계에서 왔고, 음향담당은 녹음 스튜디오에서 왔다.

젊었던 그들에게는 이 스페셜 프로젝트가 반짝반짝 빛나보였을 것이

테마관 내부 — 생명

다. '이런 일에 참여할 수 있다면 다른 것은 어떻게 되어도 관계없다.' 어쨌든 '하고 싶다!'고 생각했고, 실제 '매일매일이 놀라움과 즐거움(exciting)이었다'고 그들은 말한다.

모두 일생에 한 번뿐인 특별한 기회에 앞뒤 생각하지 않고 빠져들었다.

이렇게 해서 만들어진 테마관은 굉장했다. 아니, 지금 봐도 굉장하다. 우에노(上野)에 있는 박물관을 그대로 옮긴 듯 보수적이며 권위주의적인 '일본정부관'과는 대조적으로, 테마관은 철저하게 전위적인 모습이었다.

철학자로부터 츠부라야(圓谷) 프로덕션*까지 동원해서 만들어진 공간은 신비롭고 환상적이며, 긴장된 공기가 감돌고 있었다. 지금까지의 어떤 공간과도 다르고, 어떤 전시와도 닮지 않았다. 문자 그대로 공간 그 자체가 예술(art)이 되어 있었다. 타로 씨가 낳은 공간은 '진열'에 머무르

---

* 츠부라야(圓谷) 프로덕션의 대표적인 작품은 SF 연속 드라마 울트라맨이다.

고 있던 당시의 전시 개념을 근본부터 뒤집는 혁명이었다.

오사카 만국박람회의 테마관은 일본의 디스플레이 역사에 남는 중대 사건이 되었다.

그로부터 30년. 타로 씨가 구상한지 불과 3년이 안 되는 기간에 만들어낸 공간에 비견될 만한 것은 아직도 나타나지 않았고, 그것을 뛰어넘는 것은 상상조차 할 수가 없다.

'태양의 탑'은 행사장의 한가운데에 걸쳐 있는 큰 지붕을 뚫고 솟아올라, 주변을 무섭게 노려보고 있었다. 지상 70m의 높이로 행사장 전체를 내려다보고, 행사장 내의 모든 시설과 마주하고 있었다. 이념상으로 보나, 경관상으로 보나 그야말로 박람회의 핵이었다.

제1조건은 '압도적인 비일상'

내가 이 책을 오사카 만국박람회에 관한 이야기부터 시작한 것은, 일본에서 제일 컸던 이벤트라는 이유 때문만이 아니다. 이벤트에 있어서 가장 중요한 요건들을 모두 갖추고 있고, 이벤트를 이해하는 데 있어 매우 뛰어난 사례이기 때문이다. '오사카 만국박람회가 그만한 파워를 손에 넣을 수 있었던 까닭'을 생각하면 저절로 이벤트의 본질을 이해할 수 있게 된다.

당시는 고도 경제성장의 한가운데에 있어서 국가나 기업이 그 행사를 할 동기가 고조되어 있다든가, 고속 교통망이 정비되어 이동성이 급속히 높아졌다든가 하는 이야기는 일단 제쳐두고, 이벤트 그 자체가 하나의 구조로서 어떠한 조건을 갖추고 있었는지를 생각해보고 싶다. 그것은 그 자체로 '이벤트가 무엇인가'를 알아보는 방법이 된다.

가장 먼저 오사카 만국박람회는 '압도적인 비일상'을 손에 넣고 있었다. 원래 만국박람회의 개최는 국제사회의 '선진국 대열'에 들어서고 싶어했던 일본의 오랜 바람이었다. 메이지(明治, 1868-1912)시대 말에는 만국박람회 개최를 위한 사무국을 발족시켜 준비를 진행시키고 전시관 공모까지 끝냈는데도 각국에 참가 초청장을 보내기 직전에 무산되었고, 쇼와(昭和) 15년(1940년)에 개최 예정이었던 '기원 2600년 기념 일본 만국박람회'는 예매권까지 발매하였으나 그 역시 개최 2년 전에 중지되고 말았다. 그런데 오랜 염원 끝에 그 만국박람회가 마침내 상륙하게 되었다.

아시아에서의 첫번째 만국박람회. 더욱이 당시의 국제박람회 카테고리 안에서 최상위이자 최대 규모인 '제1종 일반박람회'였다. 동일국가에서 적어도 20년간은 개최할 수 없다는 규칙을 가진 월등한 박람회이다.

평상시는 볼 수 없는 귀중한 물건이나 신기한 물건이 전세계에서 몰려오고, 외국에서 많은 사람이 온다. 일상생활을 벗어난 흥미로운 체험이 분명히 약속되고 있었다. 무엇보다도 이것으로 세계인에게 일본의 실력을 인정받을 수 있었으므로 일본 전체가 축제 기분으로 고양되었던 것도 당연했다.

대나무 숲밖에 없었던 습지에 어느 날 홀연히 미래 도시가 나타나 그 도시 안에서만 경험할 수 있는 특별한 사건이 기다리고 있었다. 일상의 생활로부터 동떨어져 신기루와 같이 출현하는 '공간'과 그 속에서 보내는 화려하고도 경사스러운 '시간', 그리고 평상시와 다른 특별한 '체험'. 오사카 만국박람회는 틀림없이 '하레(晴, 경사스러움)'의 자리였다.

사람은 예로부터 '하레'를 생활 속에 능숙하게 받아들임으로써 정신의 균형을 유지해왔다. 일본어의 '하레'라는 것은 평상시의 생활이나 보통 상태를 가리키는 '케(褻)'와 대비되는 개념으로, 평상시와 다른 특수한 상태에 있는 것을 나타내는 말이다. 일본 사람들은 무의식중에 이 말을 자주 사용한다. '하레'의 무대, '하레' 옷, '하레'의 출발……. '하레'의 감각은 일본인들의 정신 속에 지금도 이어지고 있다.

'하레'의 전형은 물론 '축제'이다. 새벽 전부터 어두워질 때까지 계속 일만 하고 오락과는 인연 없이 살고 있는 민중들도, 축제의 날만은 특별했다. 수수하고 검소한 일상과는 달리 맛있는 음식을 만들어 사치스럽고 상쾌한 시간을 즐겼다. 일상을 지배하는 질서와 신분 같은 것은 버려두고, 이 때만 허용되는 특별한 가치관으로 갈아탔다.

힘들고 엄격한 일상에서부터 벗어날 수가 없기 때문에 특별히 허용된 '하레'의 시간을 더욱 소중히 했다. 평소의 억압으로부터 일시적으로 정신을 해방시켜, 카타르시스를 가져다주는 유일한 찬스였기 때문이다. '하레'라는 이름의 쾌락이 생활 속에 리듬을 만들어, 내일의 활력을 불어넣었다.

그러나 봉건사회에서 근대사회로 시대가 바뀌고 자유와 풍부함을 손에 넣게 되면서 사람들의 생활은 조금씩 '하레' 감각을 잃어갔다. 점점 '하레'와 '케'의 경계가 모호하게 되었다. 그리고 지금에 와서 축제는 '보는 것'이 되어, 정월조차 휴일의 하나에 지나지 않게 되었다.

그러나 그렇다고 해서 우리들이 '하레'를 요구하지 않게 된 것은 아니다. 오히려 반대로, 경험할 기회가 줄어들고 있기 때문에 오히려 '하레'에 대한 욕구가 지금까지 이상으로 강해지게 되었다. 옛 축제나 정월과 같은 '제도로서의 하레'가 점차 멀어지고 있는 것을 피부로 느끼고 있기 때문에, 반대로 '자신의 하레'를 찾아내고 싶다는 생각이 강해졌다.

그래서 모두 '자신의 하레'를 언제나 눈을 왕방울 같이 뜨고 샅샅이 뒤지고 있다. 양질의 안전한 자극을 손에 넣기 위해서 밤낮 정보를 모아 사정이 허락하는 대로 찾아나선다. 본래 '비일상의 사건'이어야 했던 이벤트가 일상 속에 용해되어, 이미 당연한 존재가 되었다.

현대의 이벤트는 이것 때문에 존재한다. 일상 안에 '하레'의 장소를 만들어, '비일상'을 연출한다. 그것이 이벤트의 일이다.

'하레'와 '케'라는 두 개의 국면을 잘 변환하고 컨트롤하면서, 사람은 스스로 정신적 안정을 유지한다. 나날의 삶에 변화를 주어 지금까지의 스트레스를 날려버리는 '비일상' 없이는 반복적인 일상을 견딜 수 없는 것이다.

이벤트는 나날의 삶에 활력을 주고 자극을 가져오는 양념과 같다. 반복되는 일상에 리듬을 만들어, 답답한 기분을 전환시킨다. 옛 축제가 담당하고 있던 역할과 같은 것이다.

이벤트의 원점은 '하레'이다.

제2조건은 '단회적인 특별성'

그리고 두번째로, 비일상이 집합체가 된 오사카 만국박람회는 틀림없이 '1회만의 특별한' 사건이었다.

미래 도시와 같은 경관, 우주선이나 로봇, 금발머리 호스테스(당시는 정말로 이렇게 불렀다), 아코디언과 식용달팽이, 돔 영상, 레이저 광선……, 모두 그 시대의 일상생활과는 동떨어진 전대미문의 볼거리였다. 그 동안의 일상 속에서는 볼 수 없었고, 앞으로도 볼 수 없을 것 같은 것들이었다. 오사카 만국박람회가 제공한 것은 이러한 '1회만'의 '특별한' 체험이었다.

전 일본을 열광시켜, 6,400만 명의 관객을 끌어당긴 것은 그 때문이다. 당연한 일이지만 생활 주변에 흘러넘치고 있는 것이 진열되어 있을 뿐이라면, 일부러 오사카까지 가려고는 생각하지 않았을 것이다. 혹은, 머지않은 미래에 누구나 볼 수 있을 것 같기만 했어도 많은 사람들이 '이번에는 텔레비전으로 참자!'라고 생각하고 행사장에는 가지 않았을 것이다. 상당히 무리를 해서까지 일부러 발길을 옮긴 것은 그 때 그 자리에 가지 않는다면 두번 다시 체험할 기회가 없을 것이 틀림없다고 생각했기 때문이다.

이것이 이벤트의 참뜻이다. 이벤트란 본래 1회뿐인 것이다. 말할 필요도 없지만, 같은 조건의 단순반복은 일상적인 것이며, 그것은 이벤트가 아니다. 이벤트란 일상적인 것(routine)과 반대편에 위치하는 개념이고 불규칙적인 사건이며 기본적으로는 1회뿐인 것이다.

물론 매년 계속해서 실시되는 이벤트도 있다. 그러나 단순히 반복되는 것은 없다고 봐야 한다. 견본시장이나 전시회라면 출전자가 교체되고, 문화·스포츠계의 이벤트라면 출연자나 출장자가 달라진다. 이 의미에서 볼 때 개최 상황은 방치해두어도 스스로 변화한다고 말할 수 있다.

하지만 그럼에도 불구하고 주최자는 "어떻게 '작년과 다른' 이벤트를 만들까" 하는 고민으로 괴로워하고 몸부림치기도 한다. 테마를 바꾸거나 프로그램의 구성을 바꾸거나 하여 매너리즘을 막기 위해 가능한 한 애를 쓴다. 아무리 작년과는 다르다고 주장해도, 또 실제로 그렇다고 해도, 출전자나 출연자라는 카드가 바뀌는 것만으로는 '1회만의 특별한' 느낌이 들지 않기 때문이다. 실제로 많은 이벤트들이 횟수를 더해갈 때마다 매너리즘에 빠졌다는 지적을 받고 있으며, 집객력을 잃어간다.

'형식을 덧쓰고 있을 뿐이다'라는 인상을 준 그 순간, 이벤트는 그 흡인력을 잃게 된다. 생각할 필요도 없이 누구라도 직감적으로 이해할 수 있을 것이다. 개최 그 자체가 목적화되어, 형식을 반복할 뿐인 이벤트는, 이미 이벤트라고 할 수 없다. 행정기관이 실시하는 '매년 상례(常例)' 이벤트는 대부분이 그러하다.

최근 각지에서 문제를 일으켜, 그 개최 여부가 재검토되고 있는 성인식이 그 전형이다.* 그 소동은 형식의 기계적 반복뿐인 이벤트는 머지않아 쇠약하게 된다는 당연한 사실을 명확하게 보여준 사건이다.

---

* 일본에서는 2002년, 성인식에서 젊은이들이 소동을 일으키는 사건이 여러 곳에서 발생했다.

물론 아무리 형식적인 것이라도, 프로그램 그 자체에 구심력이 있으면 공감을 얻는 것은 가능하다. 체육대회나 학예회는 형식 그 자체지만 부모가 무리해서 찾아오는 것은 단순히 아이의 모습을 보고 싶기 때문이지, 의무 때문이 아니다. 결과를 모르기 때문에 설레기도 하고, 집에서는 볼 수 없는 자기 아이의 표정을 접할 수 있을 것이라 기대하기도 한다. 그 나이의 그 모습으로 달리는 것을 볼 수 있는 것은 그 때뿐이기 때문에, 그 의미에서는 '1회만의 특별한' 경험이기도 하다.

그러나 분명하게 말해 최근의 성인식에는 20살의 젊은이들을 끌어당기는 인센티브가 없는 것이다. 누구나 아는 프로그램이 천편일률적으로 진행되는 것만으로는 설레임이나 기대가 없다. 어느 쪽이 이겼는지 알고 있는 시합을 나중에 비디오로 보는 것과 똑같기 때문에 재미가 없는 것이다.

게다가 성인이 된다고 하는 것이 당사자인 젊은이에게 있어서는 '1회만의 특별한' 사건이지만, 식순은 그러한 그들의 사정이나 생각과는 거의 상관없이 진행된다. 오해가 생길 것이라는 두려움을 무릅쓰고 말한다면, 성인식의 대부분은 주최하는 행정기관측의 논리와 사정에 따라서만 만들어지고 있다고 할 수 있다. 체육대회에 참여한 아이들은 분명히 주역인 것 같지만, 성인식에 참석한 성인들은 '손님'에 지나지 않는 것이다.

주목해야 할 것은 행사장 밖에 많은 젊은이들이 모여 있었다는 것이다. 남자, 여자 모두 아름답게 치장하고 웃고 떠들며 즐기고 있었다. 많은 사람들이 행사장 안에는 들어가지 않고 밖에 모였다는 것은 그들이 성인식에 참석하기 위해 모인 것이 아니라는 말이다.

그들은 아마 '1회만의 특별한' 날에 특별하게 몸치장을 하고, 특별한 기분으로, 특별한 하루를 보내고 싶었을 것이다. 일생에 한 번뿐인 행사이기 때문에 평상시와 다른 비일상적인 기분 속에서, 추억을 만들고 싶었을 것이다. 확실히 '하레'를 요구하고 있었던 것이다.

그러나 마련된 프로그램에는 형식밖에 없었다. 즉 고객들은 '이벤트'를 요구하고 있었는데, 프로그램은 '일상적인 방법'이었다는 것이다. 따라서 그런 소동의 배경에는 그런 엇갈림에 대한 짜증이 있었을 것이라 생각한다. 나는 소란을 일으킨 패들을 동정할 생각은 전혀 없다. 그러나 이 엇갈림은 인정하지 않을 수 없는 것이다.

이벤트는 '1회만의 특별한 것'에 가까워지면 가까워질수록 힘을 가지게 된다. 이벤트뿐만 아니라 어떤 것이라도 '단회적인 것(one and only)'에는 가치가 있지만, 이벤트의 경우는 더욱 더 그러하다. 따라서 1회만의 특별한 이벤트는 예외 없이 강한 것이다. 그리고 이 면에서도 일본의 이벤트 역사상 정점으로 군림하는 것이 오사카 만국박람회인 것이다.

그뿐이 아니다. 오사카 만국박람회는 관객뿐만 아니라, 제작자측에도 '1회만의 특별한 경험'을 제공했다. 사실 '만국박람회를 본 적이 없다'는 것은 제작자측도 마찬가지였으므로 따라서 만든 경험이 있을 리 없었다.

그때까지 없었던 직능과 세계 수준의 기술을 한꺼번에 요구받게 된 일생일대의 프로젝트. 종래의 일상적인 일이나 작업에서는 얻을 수 없는 귀중한 체험이 약속되고 있었다. 틀림없이 여러 가지 실험이나 모험을 할 수 있고, 자신의 기술도 크게 바뀔 것이었다. 이 프로젝트에 참가할 수만 있다면 새롭게 도약할 수 있을 것임에 틀림없었다. 그렇게 생각했기 때문에 모두 열성적으로 일했던 것이다.

테마관의 전시를 담당한 크리에이터들 역시 그랬다. 모두 위험부담을 안고 안정된 지위를 버리고 옛 영역에서 뛰쳐나와 새로운 세계로 뛰어들었다. '다른 일은 어떻게 되어도 상관없다'고 생각했기 때문에 할 수 있던 것으로, 오사카 만국박람회에는 그만큼 인센티브가 있었다고 말할 수 있다.

실제로 만국박람회에 빠져들어간 사람의 대부분은 끝난 후 당분간은 일이 없어서 고생한 것 같았다. 그러나 결국, 보고 흉내내고 시행착오 등을 거쳐 새로운 일을 배워나간 크리에이터들은 각각의 분야를 선도하는 선두주자가 되었던 것이다.

 '1회만의 특별한' 이벤트는 관객뿐 아니라, 제작진들도 크게 바꾸어놓았던 것이다.

제3조건은 '철학'

세번째로 오사카 만국박람회에는 '철학'이 있었다. 높은 뜻과 정신성을 토대로 한 명쾌한 메시지가 있었던 것이다.

만국박람회의 이념이나 테마를 결정한 것은 '테마위원회'라는 조직이었는데, 이 조직의 구성원부터가 굉장했다. 위원장인 가야 세이지(茅誠司, 물리학자, 도쿄대 학장), 부위원장인 구와바라 다케오(桑原武夫, 불문학자, 문예비평가, 교토대 교수)를 중심으로, 이부카 마사루(井深大, SONY 사장), 유카와 히데키(湯川秀樹, 물리학자, 노벨상 수상자. 교토대 교수), 오사라기 지로(大佛次郎, 작가), 아카보리 시로(赤堀四郎, 생물화학자, 오사카대 학장), 오키타 사부로(大來佐武郎, 일본경제연구센터 이사장), 단게 겐조(丹下健三, 건축가, 도쿄대 교수), 카이즈카 시게키(貝塚茂樹, 중국사학자, 교토대 교수) 등 일본을 대표하는 두뇌가 18명이나 모여 있었던 것이다.

게다가 그들은 대외적으로 모양새를 갖추기 위해 자리를 채우고 있었던 것은 아니었다. 위원회를 방청한 사람의 이야기를 들어보면, 그들은 뜨겁고 진지하게 논쟁을 펼쳤던 것 같다. 쟁쟁한 멤버들이 흥분해서 침을 튀겨가며 진정으로 열띤 논의를 하는 모습을 보고 있는 것만으로 감동했다고 말한다.

이렇게 하여 '인류의 진보와 조화'라는 테마와 "열려가는 무한의 미래를 동경하면서, 과거 수천 년의 역사를 돌아볼 때……"라는 서두로 시작하는 기본이념이 만들어졌다.

테마는 보편성과 격조의 높이가 조화되어 있어 만국박람회의 테마로서 실로 뛰어난 것이었고, 구와바라 다케오 씨가 초고를 썼다고 전해지는 기본이념은 박람회의 역사에 남는 명문이라고 생각한다. 오사카 만국박람회는 박람회에서 사상과 철학이 얼마나 중요한가를 잘 알고 있었던 것이다.

그러나, 오사카 만국박람회가 진정 대단한 것은 여기서부터이다. 일본의 두뇌가 지혜를 짜낸 것에 안주하지 않고, 무엇을 할지도 모르는 '위험한' 아티스트를 프로듀서로 앉히는 '폭거(暴擧)'를 해냈던 것이다. 영지(英智)를 모은 뛰어난 이념에, 사나운 아티스트를 던졌고, 그리고 그것이 결정적인 효과를 낳게 되었다.

만약 '태양의 탑'이 없었다면……, 그것만 상상하면 금방 알 수 있다. 단순히 경관상의 심볼을 잃는 것만이 아니다. 아마 박람회 그 자체의 의미나 이미지의 확대까지 한꺼번에 가벼워질 것이 틀림없다.

'태양의 탑'은 메인 게이트로 들어가는 바로 정면, 행사장의 한가운데에 서 있었다. 하이테크나 미래 지향성이 돋보이는 낙천적인 행사장을 살짝 흘겨보면서, 유일하게 죠몽(繩文)*시대적이고 원시적인 모습으로 메시지를 계속해서 뿜어냈다. 꿈의 기술이나 미래의 라이프스타일을 순진하게 동경하는 기분과는 정반대의 가치관을 온몸으로 직접 표현하고 있었다.

오사카 만국박람회에는 박람회로서 최고의 긴장감과 정신성이 있었고, 말로는 표현하기 어렵지만, 신기한 '인텔리젠스(intelligance)'가 있었으며, 그 후의 박람회에서는 느낀 적이 없는 사상성(思想性)이 느껴졌다.

---

* 죠몽(繩文): 구석기시대의 다음 시대. 2,300년 전에 시작되었던 것으로 추정된다.

그러니까 오사카 만국박람회는 자기선전을 열거할 뿐인 '우등생'으로 끝나지 않고, 낙천적인 축제 소동으로도 손색이 없었다. 박람회협회가 많은 사람 가운데서 특별히 타로 씨를 뽑았을 때 그것까지 이미 계산하고 있었는지는 모르지만, 적어도 결과는 그렇게 되었던 것이다.

이 모든 것이 관객들에게는 느껴진다. 보고 있는 것 같지는 않은데 실은 제작자의 뜻까지도 간파하고 있는 것이다.

내용의 완성 상태가 좋다면 '재미있었다', '즐거웠다'라고 생각한다. 그러나 '감동하는' 것은 또다른 문제이다. 아무리 내용이 훌륭해도 그것만으로 감동하는 것은 아니다. 우리들이 감동하는 것은 그 내면에 담긴 제작자의 뜻에 공감을 느꼈을 때뿐이고, 제작자가 전하는 메시지에 공감했을 때뿐이다.

제4조건은 '미디어로서의 공간성'

네번째로 오사카 만국박람회에는 '미디어로서의 공간성'이 있었다. 간단하게 말하면 진열된 물건을 '보는' 것뿐만 아니고, 메시지를 온몸으로 '느끼는' 것이 가능한 구조로 되어 있었다는 것이다. 대부분의 파빌리온은 '공간'이나 '체험'을 통해서 메시지를 전하는 것을 목표로 설정하고 있었고, 실제로 그러한 파빌리온들이 인기를 얻고 있었다.

큰 공간 안에 물건들을 마구 배치하여 복합적인 이미지를 표현하는 '환경형 전시', 대형 영상이나 돔 영상 등의 특수한 영상 장치를 구사한 '영상형 전시', 시뮬레이터를 조작하거나 로봇과 대화를 하거나 하는 '체험형 전시', 극장형의 스타일로 라이브 감각이 있는 연출을 하는 '퍼포먼스형 전시' 등, 어느 파빌리온도 '진열'을 넘은 전시 방법을 겨루고 있었다.

미국관, 소련관, 히타치(日立)관, 미도리(초록)관……, 인기가 있던 파빌리온은 모두 '공간'으로 승부하고 있었다.

근대적인 박람회는, 1851년에 런던의 하이드파크에서 태어났다. 런던 사람들을 깜짝 놀라게 했던 거대한 철과 유리의 파빌리온 '크리스탈 궁전'으로 유명한 제1회 만국박람회이다.

산업혁명의 성과가 생활이나 사회를 크게 바꾸던 그 시대, 만국박람회는 최신 기술을 보여주는 프레젠테이션의 장소이자 일반 대중을 산업 사회로 이끄는 계몽의 장소로서 유일무이한 역할을 다하고 있었다.

증기기관, 엘리베이터, 에스컬레이터, 전화, 축음기, 영화……. 인류가 낳은 새로운 기술이나 제품의 대부분이 박람회를 통해서 처음으로 사회에 소개되어 그것을 접한 시민들이 희망차고 풍요로운 미래를 확신하게 하는 행복한 시대였다.

그러나 시대가 흐르고 미디어가 발달되어갈수록, 박람회는 점차 '처음으로 무엇을 접하는 장소'로서의 역할을 잃어간다. 게다가 기술이 고도화, 전문화함에 따라 물건을 보는 것만으로는 그 본질을 이해하기 어려워진다.

'2층까지 사람을 옮기는 판'이나 '소리나 목소리가 나오는 상자' 정도라면 보는 것만으로도 한 순간에 그 기능이나 일상생활에 미치는 충격을 상상할 수 있다. 그러나 기술이 발달되면 될수록, 그러한 실감으로부터 멀어진다. 그리고 무엇보다 "과학기술의 진보는 인류의 행복을 약속한다"는 주장을 단순한 마음으로 믿기가 어려운 시대가 되었다.

이러한 환경의 변화를 받아, 만국박람회는 스스로의 구조를 크게 바꾸어갔다. 그 상징이 '테마의 출현'이다. 과거와 같이 '물건을 모아 진열해서 보여줄 뿐'이라는 스타일에서 특정의 테마에 호응하여 '메시지를 보낸다'는 것을 목적으로 변화하게 되었던 것이다.

물론 물건을 하나 놓는 것만으로는 메시지를 전할 수는 없기 때문에,

전시 구조도 크게 바뀌었다. 대형 영상이나 큰 공간을 이용한 공간 연출 등의 새로운 표현 방법이 차례로 개발되어 '공간'으로 승부하게 되었던 것도 이때부터다.

이러한 경향이 가장 분명하게 나타난 만국박람회가 1967년의 몬트리올 박람회이고, 그 흐름을 한층 더 가속시켜, 완성도를 더욱 높였던 것이 오사카 만국박람회이다.

이벤트라는 것은 특정한 시간과 공간에 정보를 수용하는 자들이 모이는 독특한 커뮤니케이션 미디어이다. '그때 그 자리를 같이했던 사람'과만 커뮤니케이션 할 수 있다는 점이 매스미디어나 프린트 미디어와 크게 다른 점이다. 그것이 이벤트의 약점이자 강점이다.

대상의 수를 무제한으로 넓히지도 못하고 '증쇄'나 '재방송'도 할 수 없는 대신에, 특정의 상대에 대해서는 높은 밀도로 접촉하는 것이 가능하다. 게다가 온몸으로 메시지를 전할 수가 있는 것이다.

일정 스타일의 정보를 동시에 그것도 대량으로 보내는 능력으로 말한다면, 이벤트는 매스미디어의 발끝에도 미치지 못한다. 또한 교과서와 같이 논리적이고 체계적인 지식을 전달하는 매체로서는 인쇄물을 이길 수 없다. 그러한 평가 기준에서 겨룬다면 이벤트는 처음부터 승산이 없다.

그러나 이벤트에는 매스미디어나 프린트 미디어에는 없는 결정적인 특성이 있다. 그것이 '공간'이다. 매스미디어나 프린트 미디어에는 공간이 없기 때문에, 공간을 매개로 정보를 전할 수가 없다. 반대로 말한다면 '공간 체험'을 통해서만이 전할 수 있는 정보를 매스미디어나 프린트 미디어로는 전하는 것이 불가능하다는 것이다. 그것을 보충하는 것이 이벤트라고 해도 괜찮다.

그래서 공간을 유효하게 사용하면 할수록 이벤트의 파워는 증폭되어 다른 미디어와의 차이가 부각되게 된다. 오사카 만국박람회가 관람객의 마음을 사로잡을 수 있었던 이유 중 하나가 여기에 있다.

오사카 만국박람회에는 그때까지의 '진열'에서 벗어난 새로운 표현 방법이 집결되고 있었고, 온갖 가능성이 시도되고 있었다. 이벤트에 있어서 공간성이 얼마나 중요한가를 관계자가 인식하는 계기가 되었던 것도, 그것을 구체화하는 기술을 습득할 기회를 주었던 것도, 오사카 만국박람회가 처음이었다.

제5조건은 '포스트 이벤트에 대한 전망'

다섯번째로, 오사카 만국박람회에는 '포스트 이벤트에 대한 시선(視線)'이 있었다. 이벤트를 그때만의 불꽃놀이라고 생각하지 않고, 그 후에 계속되는 액션에 대한 포석으로 간주하는 관점이 있었던 것이다. 이벤트가 끝난 후에 무엇을 남길 것인지, 그 유산을 보람있게 쓰기 위해서는 무엇을 해놓아야 할 것인지, 미리 전략을 구축하여 그것을 프로그램 속에 삽입해놓는다는 발상이다.

그 대표적인 사례로 테마관을 위한 민속자료의 수집이 있었다.

테마 전시에 반드시 세계의 민속자료가 필요하다고 생각한 타로 씨는, 도쿄대학 이즈미 세이이치(泉靖一, 문화인류학자), 교토대 우메사오 타다오(梅棹忠夫, 민속학자, 비교문명학자) 두 사람과 상담하여 두 사람의 협력으로 '세계 민속학자료조사수집단'을 결성하고 약 20명의 신진 연구자를 세계 각지로 내보냈다.

1달러=360엔, 외화의 반출도 엄격하게 제한되고 있었던 시대였다. 수집단의 노고는 보통이 아니었다고 한다. 하지만 두 번 다시 없는 기회에, 젊은 그들은 이를 악물고 열심히 노력했다. 그리고 방대한 민속자료를 오사카로 모으기에 성공했다. 세계의 가면 500점, 신상(神像) 300점, 생활 용구 1,200점. 그 시대가 아니었다면 모을 수 없었던 것들이었다.

만국박람회로부터 7년 후, 이 자료를 계기로 행사장 뒤에 '국립 민족학 박물관'이 생겼다.

중요한 것은 이 '연동(連動)'이 결코 우연한 산물은 아니었다는 것이다. 개막 2년 전에 책정된 '테마 전시 기본계획 보고서' 속에 이미 미래에 대한 제안이 있다. '테마 전시 시설의 향후 이용에 관한 제안'이라는 마지막 절이다.

우리는 이 시설을 토대로 하여, 새로운 구상 아래 부족한 부분을 보충해서 영구적인 '인간박물관'의 설립을 제안한다. (중략) 새로운 시야에 입각하여 아시아 독자적인 '인간박물관'을 테마 전시 이후에 일본에 일본 만국박람회의 유산으로 남기는 것이 가장 바람직하다. 일본의 '인간박물관'이 앞으로의 세계에 있어 중요한 역할을 하게 될 것으로 믿는다.

물론 이 시점에서 민족학박물관의 건설 계획이 구체화되고 있던 것은 아니다. 연구자 사이에서 '민족학 연구박물관'에 대한 희망이 있던 것 같기는 하지만 아직 구체적인 구상이나 계획은 아무것도 없었다. 그러나 테마관에 협력하고 있던 문화인류학자들은 분명히 이 프로젝트를 미래와 연결시켜 의식하고 있었다.

다음은 당시의 중심 멤버였던 우메사오 타다오 씨가 수집조사단의 기록에 첨부한 문장의 한 구절이다.

이 '수집단'은 어디까지나 일본 만국박람회 테마관에 전시하는 민속자료를 수집하는 것이 목적이며, 앞으로 생기게 될지 어떻게 될지도 모르는 민족학 박물관을 위한 수집이라고는 도저히 말할 수 없다. 그래서 박물관에 관한 것은 관계자의 암묵적 이해 사항이었으나, 공공연히 말하는 것은 일단 금기로 되어 있었던 것이다(우메사오 타다오, 「일본 만국박람회 세계민속자료조사수집단의 기록」).

결국 7년 후인 1977년 11월, 염원하던 민족학박물관이 만국박람회 철거지에서 개관됐다. 테마관은 민족학박물관을 만든다고 하는 장대한 계획의 포석이 되었던 것이다.

부족한 예산과 엄격한 조건에도 불구하고 세계의 두메산골을 다니며 수집조사단이 노력했던 것도, 일본 전국의 문화인류학자들이 헌신적인 협력을 아끼지 않았던 것도, 미래에 대한 비전을 분명히 보았기 때문이다. 그들의 에너지를 결집할 수 있던 것은 그 때문이었다. 오사카 만국박람회는 그들에게 있어서도 꿈을 실현시킬 수 있는 찬스를 주었다.

만약 만국박람회가 없었다면 민족학박물관은 아마 생기지 않았을 것이고, 수장되었던 많은 귀중한 민속자료를 일본이 손에 넣을 일도 없었을 것이다. 그야말로 단 한 번의 기회를 제대로 살렸던 전형적인 성공 사례이다.

'포스트 이벤트로 무엇을 남길 것인지' 생각하는 것은 이제 당연한 일이 되었다. 예를 들면 박람회 후에는 그 구조물이 남겨지거나 깨끗한 광장이 생기기도 한다.

그러나 그것들의 대부분은 변명을 위한 산물이다. 모든 것을 철거·폐기해버리면 '쓸 데 없는 일과성 이벤트'라고 비난받기 때문에, "이벤트의 유산을 유효하게 활용하고 있습니다"라고 말하기 위해서는 눈으로 보이는 '유산'이 필요하다는 것이다. 말할 필요도 없지만, 이러한 소극적인 발상으로부터는 진짜 아이디어가 태어나지 않는다.

민속자료 수집의 사례에서 중요한 것은 그 동기가 변명을 위함이 아니었다는 것이다. 또한 자료를 남기는 것 자체를 목적으로 하고 있던 것도 아니었다. 목표로 하고 있던 것은 어디까지나 민족학박물관의 설립이며, 오사카 만국박람회를 그것을 위한 계기로 만들려고 했던 것이다. 즉 남기려고 한 것은 박물관 건설을 위한 기운의 조성이라는 무형의 소프트웨어였던 것이다.

거기에는 "이벤트란 개최 그 자체는 목적도 종점도 아니고, 다음 단계로 나가기 위한 '프로세스'에 지나지 않는다"고 하는 사상과 그것을 살리기 위한 전략이 있었다.

정말로 힘이 있는 이벤트라면 눈으로 보이지 않는 무형의 파급효과를 '보디 블로(body blow)'처럼 천천히, 그러나 확실하게 방출한다. 오사카 만국박람회는 이러한 면에서도 굉장한 것이었다.

오사카 만국박람회는 명쾌하고 뛰어난 '철학'을 가지고, '미디어로서의 공간성'을 중시한 '비일상'적이며 '1회만의 특별한' 사건을 연출했다. '포스트 이벤트에 대한 전망'도 잊지 않았다. 큰 의의를 다하고, 흥행적으로도 대성공한 것은 이 때문이다.

이 다섯 개의 조건을 만족시킬 수 있다면 이벤트는 반드시 성공한다.

반대로 잘 되지 않는 이벤트는 이 조건을 만족시키지 못하기 때문이며, 성공하는 이벤트를 만들려고 한다면 이 다섯 가지 조건을 만족시키는 방법을 생각하면 된다.

이것은 모든 이벤트에 공통되는 것이다. 사례로 든 오사카 만국박람회는 '박람회'라는 형식을 가진 '대규모'의 '행정기관 이벤트'이지만, 이것을 '기업'이 실시하는 '소규모'의 '전시회'로 옮겨놓아도, 또는 '개인'이 연출하는 '둘만의 첫 데이트'라고 생각해도 똑같은 것이다.

조건은 단 다섯 개뿐이지만, 이것을 만족시킨다는 것은 어려운 것이다.

제2장 이벤트 파워란 무엇인가

이벤트 성립을 위한 5가지 조건

'이벤트'란 용어는 이미 일본어로 정착됐다. 지금은 누구나 부담 없이 말하고, 초등학생조차 일상어로 사용한다.

그러나 '그것이 의미하는 것'에 대한 이미지가 사람들 사이에 공유되어 있지는 않은 것 같아 상당히 초조함을 느낀다. 편리한 단어니까, '아무 생각 없이' 사용되고 있는 것은 아닌지 걱정된다.

실제로 '이벤트'라는 말에서부터 이미지가 되어 머리에 떠오르는 활동은 그 범위가 매우 넓다.

올림픽, 박람회, 월드컵, 모터쇼, 재즈 페스티벌, 전시회, 상담회(商談會), 시승회(試乘會), 가두 캠페인, 비지니스 세미나, 주년(周年) 파티, 신년회, 입사식, 벗꽃 놀이, 사원 여행, 골프 경기, 여름 축제, 신정 신사 참배, 바겐세일, 결혼식, 성인식, 미팅, 송별회, 동창회, 체육대회, 학내 발표회, 크리스마스, 해외 여행, 생일 파티……

열거하자면 끝이 없다. 이렇게 우리의 생활에서의 '이벤트'를 열거해 보면, 우리들의 일상이 얼마나 많은 이벤트로 구성되어 있을지 잘 알 수 있다.

그런데 이것들은 정말로 '이벤트'인가?

이것들은 이벤트의 범주에 가깝다는 것은 사실이고, 박람회나 올림픽이 이벤트라는 것에도 이의는 없다. 그렇다면 친구와 디즈니랜드에 가는 것은? 사내의 골프 대회는? 가족이 함께 가는 해외 여행은? 애인과 함께 가는 외식은? 이벤트라는 느낌이 들기도 하고, 반대로 이벤트라고 말하기는 힘들다는 느낌이 들기도 한다. 어떤 경우엔 이벤트라고 볼 수 있고, 어떤 경우엔 그렇지 않다고 볼 수 있는 아이템도 있는 듯하다.

그것이 바로 이벤트의 범주를 정하기 어려운 부분이기도 하다. 그리고 이 해답을 찾아내는 것이야말로 이벤트의 의미를 생각하는 것으로 이어진다.

꾸미는 사람이 있고 미션이 있다

까다롭지 않게, 아주 단순하게 말한다면, 이벤트란 '우연한 사건(ac-cident)이 아닌 임시적이고 특별한 사건'이라고 말할 수 있다.

따라서 그것이 아무리 인생의 중대사라 해도 우연히 일어난 사건이나 해프닝은 이벤트가 아니다. 30억 원짜리 복권에 당첨되더라도, 교통사고로 생사의 기로에서 방황하더라도, 갑자기 발생한 사건은 이벤트라고 말하지 않는다. 지진이나 태풍도 이벤트의 대상이 될 수 없다. 어원인 'event'에는 사고나 해프닝의 의미도 담겨 있지만, 우리가 일반적으로 사용하고 있는 '이벤트'는 '사건'이나 '사고'를 제외하고 생각하는 것이 보통이다. 적어도 본서에서 말하려고 하는 이벤트는 원래의 'event'와는 다르다.

우연한 사건이 아닌 이상, 분명 뒤에서 조종하는 누군가가 있다. 이벤트에는 반드시 '목적'이 있고, 그 배경에는 '의지'가 작용하고 있다. 즉 이벤트는 '누군가가 어떠한 목적을 달성하기 위해서 꾸미는 사건'이며, 이벤트를 수행하는 것 자체는 목적도 아니고, 골(goal)도 아니다. 이벤트란 어디까지나 임무(mission)를 달성하기 위한 도구에 지나지 않는다.

이벤트에는 그것을 꾸미는 사람이 있고, 미션이 있다.

이것이 이벤트를 규정하는 첫째 조건이다. 이벤트에는 의지가 있고, 해야 할 일(mission)이 그 내용과 모양을 결정한다. 이것이 이벤트의 출발점이다.

그러니까 우물가의 쑥덕공론처럼 의지도 목표도 갖지 않는 모임은 이벤트가 아니다. 그리고 중요한 것이지만, 개최 자체가 목적이 되어버린 '형식뿐인 이벤트'도 이벤트라고는 할 수 없는 것이다.

이벤트에는 타깃이 있고, 메시지가 있다

이벤트에서 '꾸며지는' 대상은 자기 자신이 아니고, 물건이나 기계가 아닌 것도 당연하다. 이벤트라는 것은 자신 이외의 누군가를 목적으로 하여, 사람이 사람에게 실시하는 특별한 행위와 다름없다.

사람이 남에게, 그에 응하도록 적극적으로 작용하는 것이기 때문에, 당연히 거기에는 무언가 '생각'이 있고, '메시지'가 있다. 원래 아무 생각도, 메시지도 없다면 남에게 무엇인가를 적극적으로 작용하려고 할 리가 없다.

사람은 누군가에게 '무엇인가를 전하고 싶다', '무엇인가를 느끼게 해주고 싶다'고 생각할 때, 그것을 실현하는 수단으로써 이벤트라는 도구를 선택한다. 이벤트를 꾸미는 대부분의 동기는 메시지를 전하고자 하는 욕구이다.

기업이 판촉 이벤트를 실시하는 것은 소비자층에게 상품 정보나 브랜드 이미지라는 메시지를 전하고 싶기 때문이고, 행정기관이 크고 작은 다양한 이벤트를 시행하고 있는 것도 행정 이념이나 행정기관의 시책이라는 메시지를 지역에 침투시키고 싶기 때문이다. 미션에 의해 강약의 차이는 있지만, 이 구조는 어느 이벤트라도 기본적으로 차이가 없는 것이다.

물론 개인적인 이벤트도 마찬가지다. 예를 들어 '사귄 지 얼마 안 된 그녀와 평상시처럼 패스트푸드점에서 햄버거를 먹는 것'은 일상의 한 부분에 지나지 않지만, '프로포즈를 결심하고 프랑스식 레스토랑을 예약해 크리스마스를 준비하는 것'은 분명히 이벤트라고 말할 수 있다.

전자처럼 패스트푸드점에서 식사하는 것은 특정의 목적도 특별한 메시지도 없지만, 후자에게는 프로포즈라는 메시지와 그에 대한 긍정적 대답을 얻고자 하는 목표가 있다. 그가 일상생활권 밖에 위치하는 고급 레스토랑을 선택하고 다양한 연출을 위해 고민한다는 것은 말할 필요도 없이 그녀를 감동시키고자 하는 뜻을 달성하기 위해서다.

이벤트에는 타깃이 있고, 메시지가 있다.

이것이 두번째 조건이다. 메시지를 내포하지 않는 이벤트는 없다. 이것이 바로 이벤트를 미디어라고 부르는 까닭이다.

이념이 있고 전략이 있다

메시지를 전하는 방법이 단지 한 가지만은 아니다. 상대에 따라 그 방법은 다를 것이고, '최종적으로 달성하고자 하는 목적'에 따라서 접근방법도 바뀐다. 연출자의 가치관이나 미의식에 따라서도 다를 것이다. 즉 그러한 조건을 모두 감안하여 독자적인 방식을 정하는 것이 필요하다.

앞의 프로포즈의 예로 말한다면, 어떠한 시나리오를 그려, 어떠한 상황을 준비해, 스스로 어떻게 연출해나갈 것인가 하는 '이벤트로서의 틀'을 미리 구축해두어야 한다.

실제로 시나리오의 구성 방법은 무한하다. 고급 프랑스식 레스토랑이나 고급 호텔을 무대로 '사치스럽고 화려한 장면'을 테마로 하는 접근법이 있다고 한다면, 대자연을 배경으로 자동차나 오토바이가 질주하는 '자연 속의 와일드한 장면'을 연출하는 방법도 있을 것이다. 혹은 일부러 특별한 상황 만들기를 피해 평상시의 편안한 대화 속에서 갑작스레 반지를 꺼내는 전술도 있을 것이다. 물론 누구에게나 효과가 있는 모범답안이란 없기 때문에 그 때마다 스스로 구성할 수밖에 없다.

이것을 '컨셉'이라고 한다. 컨셉이라는 것은 이벤트 구성에 있어서 기본적인 생각과 목표로 할 방향을 정한 것, 즉 기본 이념이다. 스스로의 가치관이나 정체성을 기반에 두고, 목적에 대한 분석을 토대로 미션을 달성하기 위한 효과적인 방법과 전략을 가다듬어간다.

이것이 어긋나면 아무것도 안 된다. 아무리 많은 수고와 노력을 들여봤자 처음부터 다른 방향으로 달린다면, 효과를 얻을 수 없다. 물론 기본 자세와 방침을 제대로 정해두지 않는 이상 행사 당일의 진행도 순조롭지 않다.

물론 아무런 준비 없이 행사 당일을 맞이하고, 일부러 흘러나가는 대로 진행하는 전술도 전혀 없는 것은 아니다. 그러나 시나리오가 없는 '진전(進展)'이 예상외의 전개와 성과를 가져올 가능성이 있는, 매력적인 옵션의 하나라고 해도, 그 자리를 순식간에 제어하는 고도의 기술과 풍부한 경험을 갖고 있지 않은 한, 잘 진행될 가능성은 미지수다. 원래 '운을 하늘에 맡긴' 타율적인 사건은 '우연한 사건(accident)'이지, 이벤트가 아니다.

그러므로 이벤트를 계획할 경우에 가장 먼저 착수하지 않으면 안 되는 것은, '이념의 구축'과 '전략의 구축'이다. 양자는 프로젝트 전체를 관철하는 척추가 되어, 이벤트를 밑에서 지탱하는 기초가 된다. 원래 이념과 전략은 서로 관련되는 것이니 계획자는 양쪽을 병행해서 구상해나간다. 이벤트의 우수성을 결정하는 것은 이념과 전략의 우수성이다.

이벤트에는 이념이 있고, 전략이 있다.

이것이 세번째 조건이다. 이벤트를 구체적으로 구성할 때의 시나리오나 연출은 모두 여기서부터 도출된다.

시작이 있고, 끝이 있다

이벤트는 '임시'적이고 특별한 행위이다. 아무리 명쾌한 미션을 갖고, 메시지를 갖추고 있어도, 일상적으로 계속되는 행위는 이벤트가 아니다. 다시 말해서 매일 아침 실시되는 조례나, 매일 저녁 가족과 함께하는 저녁식사를 이벤트라고는 말하지 않는다.

굳이 가족이 모여 식탁에 둘러앉는 것은 식탁을 커뮤니케이션의 장소로 하기 위함이므로, 분명히 '음식의 섭취'와는 다른 차원의 미션을 가지고 있기는 하지만, 그 미션은 계속적인 것으로, 끝이 없다. 끝이 없는 일상은 판에 박힌 과정(routine)이며, 이벤트와는 정반대에 위치한다고 생각해야 한다.

마찬가지로 "쓰레기 재활용을 철저히 하자!"라든지 "꽃이 넘치는 거리로 만들자!"고 하는 것 같은 캠페인도, 목적과 메시지를 갖추고는 있지만 이벤트라고는 말할 수 없다. 지속시키는 것을 전제로 한 '운동'과 이벤트는 다르다.

다만, 이런 일상적인 일들을 특별하게 꾸미거나, 업무 추진력을 높이기 위해 실시하는 임시적인 프로그램은 이벤트에 속한다. 조부모의 금혼식을 기회로 가족의 결속과 친목을 돈독하게 하기 위해 호텔에서 가족이 모두 모여 축하 파티를 하거나, 쓰레기 재활용이 환경에 얼마나 중요한가를 어린이들에게 알려주는 견학이나 워크샵 등을 운영한다든지, 판에 박힌 생활이나 활동에 리듬을 부여하고, 악센트를 주는 이벤트는 많다.

이벤트가 이러한 기능을 하는 것은 어디까지나 '임시'이기 때문이다. 순간적인 일이니까 악센트가 되는 것이며, 항상 일어나는 일이 되면 일상 속에 매몰될 뿐이다. 바꿔 말하면 이벤트에 주어지는 목적은 그때만의 임시적인 테마로 한정된다는 것이다.

이벤트에는 시작이 있고, 끝이 있다.

이벤트를 규정하는 네번째 조건이다. 그리고 이것이 '이벤트의 힘'을 지탱하는 원천이 된다.

어떤 이벤트에도 반드시 '시작'이 있고, 그 시작을 언제 할지 미리 프로그램이 만들어진다. "시작할지 안 할지 모른다", "언제 시작할지 모른다"는 것은 우연한 사건(accident)을 말한다.

이벤트는 미리 '시작'을 향해 힘을 결속시키는 행위이며, 반드시 시작하는 것이다. 그렇지 않으면 목적을 완수할 수가 없다.

마찬가지로 이벤트는 반드시 '끝'이 있다. 끝이 없는 이벤트는 없고, 만일 끝을 없애면 일년 내내 '바겐세일'을 하는 것과 같아 효과가 없다. 반드시 끝나고, 언제 끝날지도 알고 있기 때문에 노력할 수 있다. 기업의 캠페인 이벤트든 초등학교의 체육대회든, 주최자나 참가자의 동기를 유발하고 집중력을 유지할 수 있는 것은 이 때문이다. 만약 체육대회가 매주 열린다면, 그토록 열심일 수 없을 것이다.

즉 '시작'이 있기 때문에 힘이 결속되고, '끝'이 있기 때문에 힘을 유지할 수 있다. 이것이 이벤트가 힘을 갖는 기본 원리이고, 판에 박힌 일상과 가장 다른 점이다. 너무나 당연한 것이라 바보 같은 이야기로 들릴지도 모르지만, 이것이 진리이다.

평상시와 다른 특별한 행위가 내포되어 있다

그리고 무엇보다 이벤트란 평상시에 경험할 수 없는 '특별한' 사건이다. 아무리 특정 미션의 달성을 목적으로 한 한시적인 것이라도, "평상시와 같다"면 이벤트가 아니며, 그것을 한다고 해도 큰 의미가 없다. 예를 들어 경축 행사에 찰밥을 짓는 것은 그것이 평소엔 잘 먹지 않는 '특별한 음식'이기 때문으로, 매일 먹는 밥은 축하의 상징(symbol)이 되지 않는 것과 같다.

이벤트에 있어 가장 중요한 것은 얼마나 '평상시와 다른가'이며, 뭐니 뭐니 해도 '처음'이고 '그때뿐'이라는 것이 가장 강한 힘을 만들어낸다. 그리고 그것을 추진했을 때 스스로 도달하게 되는 곳은 '비일상'이 된다. 비일상적인 사건은 그것만으로도 활력이 있고, 기억에 남는다.

오사카 만국박람회가 실현한 것처럼, 압도적인 힘을 보여준 이벤트라면 예외 없이 비일상성으로 가득하다. 따라서 이벤트를 꾸미는 사람들은 모두 '평상시와 다른' 상황을 만드는 것을 목표로 한다.

아이의 생일파티를 위해 집을 떠들썩하게 장식하는 것도, 파티의 간사가 행사장이나 연출을 위해 고민하는 것도, 강한 인상을 남기려면 평상시와 다른 '그때만의 특별한' 이미지가 결정적 수단으로 작용한다는 것을 알고 있기 때문이다.

물론 프로포즈의 경우도 마찬가지다. 어디서 만나 어디를 걸어 어디서 식사를 하는지, 어떤 상황으로 어떤 화제에서 어떤 타이밍으로 결정적인 이야기를 이어갈 것인지, 반지나 꽃 등의 소도구는 어떻게 할 것인지 등, 당일의 시나리오를 면밀히 검토할 것이다.

그것에 대한 상대방의 태도나 반응을 예상해보고, 여러 가지 변수를 상정하면서, 다양한 연출과 진행의 짜맞춤을 생각한다. 그 때 중요하게 생각하는 것은, "어떻게 평상시와 같지 않도록 할 것인가"이며, 그 날을 '1회만의' '특별한 하루'로 만들려고 지혜를 짜낼 것이다. 이것이 이벤트의 본질이다.

이벤트에는 평상시와 다른 특별한 행위가 내포되어 있다.

이것은 마지막 조건이며, '임시성'과 함께 '이벤트의 힘'을 지탱하는 가장 기본적인 성질이다.

이벤트는 흥행사업과도 다르다

다시 한번 정리해보면 다음과 같다.

이벤트에는 꾸미는 사람이 있고, 목적이 있다.
이벤트에는 타깃이 있고, 메시지가 있다.
이벤트에는 이념이 있고, 전략이 있다.
이벤트에는 시작이 있고, 끝이 있다.

이벤트에는 평상시와 다른 특별한 행위가 내포되어 있다.

이것이 이벤트가 이벤트로서 갖추어야 할 가장 기본적인 조건이다. 바꾸어 말하면 이 다섯 개의 조건이 모두 갖추어진 사건을 이벤트라고 하며, 그 중 하나라도 빠지면 이벤트가 아니게 된다.

예를 들어 평소 행해지고 있는 콘서트는 분명히 '흥행사업'이며, 이벤트라고 할 수 없다. 일반적으로 흥행의 미션은 수익의 확보이고, 개최 자체를 목적으로 하고 있기 때문에, 어떤 메시지를 전달하는 수단으로 계획되는 이벤트와는 다르다. 만약 이벤트라면 특정의 메시지와 그 배경이 되는 이념이 있을 것이고, 흥행 수입은 최상위의 미션이 되지는 않는다.

다만 콘서트 중에서도 메시지의 발신과 공감의 양성을 목적으로 한 진짜 이벤트가 있을 수 있다. 그 대표적인 예가 1969년 8월에 뉴욕 교외의 농장에서 3일간 펼쳐진 '우드스톡 페스티벌(Woodstock Music and Art Fair)'이다.

베트남전쟁이 한창일 때, 이 야외 콘서트는 '사랑과 평화와 음악의 3일간'을 테마로 세계 평화의 메시지를 음악에 담으려는 취지로 열린 것으로, 지미 헨드릭스, 더 후, 제퍼슨 에어프레인, 제니스 조플린 등 당시의 일류 록뮤지션이 무보수로 다수 출연, 예상을 훨씬 넘는 30만 명 내지 40만 명의 관객이 모였다. 그 수가 너무나 방대했기 때문에 행사장은 마침내 제어 불능이 되어, 도중에 무료로 하지 않으면 안 될 정도였다.

이 때문에 먹을 것이나 화장실이 턱없이 부족하게 되고, 이틀째 밤에는 장마가 내리는 등 악조건이 겹쳤지만, 진흙 속에서 관객들은 먹을 것을 서로 나누고, 서로 서로 감싸면서 트러블이나 경찰의 개입 없이 무사하게 3일간의 일정을 마쳤다.

폭력도 인종차별도 배제한 이 '사랑과 평화의 제전'의 성과는 새로운 젊은 문화의 가능성을 개척하는 것으로 온 세상에 큰 화제가 되어, 후에

'우드스톡 제너레이션'이라는 단어를 낳는 계기가 되었다. 다큐멘터리 영화로도 히트친 이 일대 이벤트는 지금도 구전되고 있는 역사적인 '사건'이었다.

흥행사업과 이벤트의 차이가 여기에 있다. 우드스톡에는 흥행 수익과는 다른 명확한 미션과 명쾌한 메시지가 있었다. 그것이 역사적인 이벤트가 되는 조건을 만들고 있었다.

일상적인 일로부터는 얻을 수 없는 성과를 기대하는 것에서 이벤트는 탄생한다. 그리고 그 임무를 완수하고 싶다고 하는 강한 정열이 이벤트 파워의 원천이 된다. 이벤트인가 아닌가는 형식이나 스타일로 정해지는 것이 아니라는 것이다.

결혼피로연은 '이벤트'인가?

이벤트가 이벤트답게 되기 위한 다섯 개의 조건과 이벤트로 성공시키는 데 빠뜨릴 수 없는 다섯 가지 요건을 알아보았다.

이것들은 만국박람회에서부터 크리스마스 데이트에 이르는 모든 이벤트에 공통되는 것이며 한 가지 조건이라도 빠뜨리면 이벤트답지 않게 되고 한 가지 요건이라도 채울 수 없다면 성공하기 어렵다. 어떤 이벤트이든 그것을 꾸밀 때에 피할 수 없는 과제라고 보면 좋다.

결혼 피로연이라는 사례를 통해 구체적으로 생각해보자.

전부터 나는 결혼식과 장례식이 매우 이상한 이벤트라 생각하고 있다. 둘 다 인생 최대의 기로이며 본인의 정체성이 가장 직접적으로 표출되어야 할 이벤트인데 그러한 이미지가 거의 없다. 장례식은 스스로 연출할 수 없기 때문에 어쩔 수 없지만 결혼식까지 그렇게 되어 있는 것은 이상한 일이다.

실제로 결혼식도 장례식도, 가장 먼저 떠오르는 이미지가 '형식'일 것이다. 많은 사람 중에는 산소통을 짊어지고 수중에서 식을 올리거나, 공중 다이빙을 하면서 서로 사랑을 맹세하거나 하는 커플도 있지만, 그것들은 어디까지나 극단적인 예일 뿐, 대부분은 호텔이나 예식장에서 판에 박힌 의식을 올리고 끝낸다. 식 자체는 종교와 관련되어 있기 때문에 어느 정도 형식을 피할 수 없는 것일지도 모르지만, 적어도 피로연만큼은 자유로울 것인데도 역시 형식적인 경우가 많다.

물론 연출이나 진행의 메뉴에는 다양성이 있고 '옵션'도 준비되어 있지만 그것들은 어디까지나 정형화된 틀 속에 박힌 것이며 '오리지날 구성'이라고 부를 수 있는 수준과는 거리가 멀다.

미리 말해두지만 나는 일반적인 피로연 스타일을 부정하는 것은 아니다. 어떤 것이라도 마찬가지겠지만 긴 세월을 들여 확립된 스타일에는 합리성과 보편성이 있는 것이다. 정평이 난 방법에는 치명적인 결함이 없는데다가, 오랫동안 지지를 받고 있다는 것은 당사자에게 큰 불만이 없기 때문이다.

'정평'이 난 방법은 높은 완성도를 갖추고 있기 때문에 표준 이상의 성과가 보장된다. 하지만 실패가 없는 대신 '특별한' 효과를 얻을 수 있는 가능성도 희박하다.

일반적으로 말한다면 '양식'이나 '예법'을 따르는 이벤트에는 힘이 없다. 물론 콘텐츠 그 자체에 절대적인 가치가 있는 경우는 또 다르다. 올림픽이나 피카소 전시회 같은 경우는 형식 그 자체로도 흡인력이 압도적이고 흔들리는 것이 없다. 이른바 '킬러 콘텐츠'는 그것만으로도 이벤트가 된다. 하지만 유감스럽게도 피로연은 그렇지 못하다.

피로연은 이벤트로서의 조건·요건을 다 갖추고 있는 것처럼 보인다. 목적은 '아는 사람 모두', 미션은 '혼인사실의 알림 및 배우자의 소개', 메시지는 '앞으로도 잘 부탁드립니다' 등과 같이 쉽게 상상이 된다. 임시성을 가지고 있는 것도 의심할 여지가 없다.

하지만 생각해보면 이렇게 '허점이 많은' 기획은 없다. '자동차의 새 모델 발표회'로 옮겨놓고 생각해보면 금방 알 수 있다. 목적은 '사용자 전체', 미션은 '새 차의 소개', 메시지는 '잘 부탁합니다'…….

이것만으로는 아무것도 말하고 있지 않는 것이나 마찬가지다. 비즈니스 세계에서 이런 조잡한 이벤트 기획이 통과되는 경우는 절대로 없다. 이벤트로 성립될지는 모르지만 우선 효과를 올리는 것을 기대할 수 없기 때문이다.

기획이 치밀하지 않은 대부분의 경우는 컨셉이 뚜렷하지 않는 데에 원인이 있다. 즉 이벤트로서의 틀을 규정하는 '기본적인 생각'과 '목표로 할 방향'이 제대로 정해지지 않았다. 컨셉이 모호하기 때문에 명쾌한 전략을 그릴 수 없는 것이다.

자신이 처한 상황을 냉정하게 판단한 토대 위에서 합리적인 방법을 채택한다. 그것이 모든 것의 출발점이다.

게다가 거기에는 '철학'이 필요하다. 스스로의 가치관이나 미의식이 반영된 것이 아니면 안 되고 그 이벤트에서 소중히 해야 할 것은 무엇인지 우선사항을 분명하게 하는 것이 필요하다. 그러한 '뜻'이 없으면 참가자의 마음에 영향을 주지는 못한다.

이벤트로 성공시키기 위해서는 '비일상적'이며 '1회만의 특별한' 이미지가 있어야 하고, '공간성'을 살린 프로그램으로 해야만 한다.

피로연을 특별한 이벤트로 꾸민다

예를 들어 "자신이 제일 소중히 여기고 있는 분야의 게스트를 초대해 자신만이 할 수 있는 대접을 한다"는 컨셉을 세웠다고 하자. 잘 하는 분야이니까 자기다운 최선의 대접 방법을 발견할 것이고, 그것이 그대로 가치관이나 아이덴티티의 표현으로 이어질 것이다.

예술이 취미인 사람이라면 자신의 작품으로 채운 갤러리를 행사장으로 사용하면 되고, 록밴드(rock band)에서의 연주가 인생의 보람인 사람이라면 라이브 음악이 나오는 곳에서 하면 좋다. 마찬가지로 서킷(circuit)이라도 좋고 스타디움이라도 좋다.

그러한 '특별한' 공간 안에서 결혼에 대한 생각이나 게스트에 대한 감사의 마음이 담긴 오리지날 작품을 게스트 앞에서 실제로 보여주면 된다. 밴드 동료들과 즐겁게 연주하는 모습을 보이거나 이 날을 위해 쓴 곡을 신부와 함께 노래해도 좋을 것이다.

피로연의 개념을 확 바꾸는 것이라고 할 수 있다. 그 자리에 함께한 게스트 모두가 협력하여 하나의 작품을 만들거나 모든 게스트가 참여하여 야구나 피구를 즐기는 것을 피로연이라고 얘기해도 괜찮은 것이다.

생각해보면 피로연의 역할 중 하나는 배우자를 게스트에게 소개하는 것이지만, 일반적인 피로연에서는 게스트와 제대로 말을 주고받는 것조차 하지 못한다. 어떤 사람인지를 알려주는 것은 처음부터 기대할 수가 없다. 하지만 서로 손잡고 무엇인가를 만든다거나 주먹밥을 한 손에 들고 시합을 응원한다거나 하는 경험을 함께한다면 직접 그 사람의 인품을 접하는 것이 된다. 그런 컨셉의 피로연도 성립될 수 있을 것이다.

혹은 '식사로 승부를 거는' 컨셉도 있을 수 있다. 게스트의 수를 극단적으로 줄이고 그 사람들을 신랑 신부가 손수 만든 요리로 대접하는 피로연이라도 좋고, 해변에서 일류 요리사가 준비하는 바비큐 파티를 연다면 꼭 가보고 싶어질 것이다.

최근에는 자주 가는 단골 레스토랑을 전세내어 피로연을 하는 것도 흔해졌지만 한층 더 나가서 자신의 소중한 공간이나 추억의 장소를 행사장으로 하고, 마음에 드는 요리사가 솜씨를 발휘해준다면 틀림없이 게스트의 마음에 남는 이벤트가 될 것이다.

"특별한 식사를 함께하면서 이야기를 주고받는다"는 것의 의미와 효과는 대단히 크다. 특별한 시간을 공유하고 있는 사람 사이에는 독특한 일체감이 형성되고, 솔직하고 편안한 식사는 온화한 분위기 속에 활발한 커뮤니케이션을 유도한다. 낯선 사람끼리의 사이도 단번에 가까워진다. 소풍이나 캠프에서 제일 중요한 것은 뭐니뭐니 해도 식사시간이다.

특별한 공간, 특별한 요리, 특별한 장면……. 시나리오와 연출의 가능성은 무한히 있다. 그것은 세상에서 하나뿐인 피로연을 만들 수 있다고 하는 것을 의미한다.

호텔을 행사장으로 하는 경우도 생각을 조금만 바꾸면 완전히 다른 이벤트가 된다.

예를 들어 운영 형태를 바꾼다고 해보자. 일반적으로 무엇인가를 프레젠테이션하는 방법에는 크게 두 가지가 있다. 하나는 '극장형'이고 다른 하나는 '갤러리형'이다.

전자는 연극이나 영화와 같이 지정 시각에 관객 전원을 모아 일정시간에 전 연출을 강제적으로 체험시키는 형식이고, 후자는 개최기간중이라면 언제든지 자유롭게 방문해도 좋다는 형식이다. 콘서트나 스포츠 이벤트는 전자이고 박람회나 상품전시회는 후자가 된다. 그리고 많은 이벤트는 '자동차 새 모델 발표회'와 같이 미션과 컨셉에 따라 양자를 잘 구분하여 활용하고 있다.

그러나 피로연에는 '극장형'의 이미지밖에 없다. '갤러리형'으로 하는 방법은 없는 것인지……. 예를 들어 신랑 신부가 기다리는 일정한 시간 동안에 파티 행사장이 개방되어 있어서 게스트는 언제 가도, 언제까지 있어도 좋으며, 관례적인 '식순'이 없는 스타일 말이다.

그러면 와인을 손에 들고 게스트와 편안하게 이야기를 나눌 수도 있고 배우자를 천천히 소개할 수도 있다. 게스트끼리 이야기를 하거나 옛

정을 새로이 하는 장소와 기회도 제공하게 될 것이다.

물론 문제도 있다. 이러한 의식성이 낮은 '느슨한' 형식의 모임은 그 이미지가 대단히 가벼워질 수 있기 때문에 상대방에 따라서는 참석하고자 하는 의욕을 떨어뜨리게 된다. 또한 장내에 비일상성을 주기 위해서는 다양한 장치와 연출을 필요로 하게 된다. 매력적인 이벤트로 만들기 위해서는 상당한 수완이 요구된다.

그런데도 컨셉을 어떻게 잡을 것인가 하는 것은 선택 사항의 하나로서 충분한 가능성이 있다.

연출자의 입장에 서보자

이렇게 생각해볼 때, 결혼 피로연의 방법은 반드시 정형적인 것이 아니며 연출자의 이념과 전략에 따라서 독자적인 스타일을 구축할 여지가 있다. 10명이 있으면 10가지의 스타일을 만드는 것도 가능하다. 본인만 마음먹으면 본래 의미에서의 '이벤트'가 될 수 있는 것이다.

이것은 곧, 누구라도 이벤트 연출자가 될 수 있다는 사실을 보여주는 것이다.

어떤 기회를 이벤트로 활용하려고 마음먹고, 미션과 전략을 구축해 실패를 각오하고 일에 임하면, 무슨 일이라도 이벤트가 될 수 있다. 구체적인 성과를 손에 넣을 가능성이 높아지고, 메시지의 발신력이 증가한다. 적어도 아무것도 생각하지 않고 막연하게 정형화된 틀대로 진행하고 있을 때는 보이지 않던 것이 보이게 된다. 여행에서도 파티에서도, 기본적으로는 모두 마찬가지다.

이벤트의 프로듀스는 누구나 할 수 있다. 자기 혼자서 못한다면 팀을 구성하면 되고, 필요하다면 각 분야의 프로에게 부탁하면 된다. 요점은 이벤트라는 수법을 자신의 도구로 인식하고 있는지 여부이다.

이벤트를 꾸미는 것을 배우고 어떤 생각과 순서로 임하는 것이 좋은 가를 알아내면 사생활에서나 사업을 하는 데 있어서나 강력한 무기가 된다. 이벤트라는 수법을 잘 다룰 방법을 몸에 익히면 발상이 전환되고 유연하게(flexible) 된다.

이벤트는 결코 멀리 있는 것이 아니다.

이벤트는 기업활동에도 빠뜨릴 수 없다

국가로부터 사적인 집단에 이르기까지 대략 모든 영역에서 이벤트를 기획·실시하고 있지만, 그 중에서도 가장 적극적으로 이 수법을 활용하고 있는 것은 말할 것도 없이 기업이다. 실제로 기업은 지극히 많은 영역에서 이벤트를 잘 다루고 있다.

목표 대상을 생각해봐도 일반 시민이나 지역사회에 대한 어필을 목표로 한 것, 주로 사용자(user)나 고객층을 상정한 것, 도매상이나 판매점 등의 유통 관계자를 대상으로 한 것, 자사나 그룹 기업 내의 직원을 상대로 한 것 등 실로 다종다양하다. 즉 기업 이벤트의 전개 영역은 넓고, 그 종류로 사회에 대해 기업의 자세를 어필하는 '대외적인' 것에서부터 사원의 귀속 의식이나 사기를 높이는 것을 목적으로 하는 '대내적인' 것까지 연속적이고 폭넓게 단계적인 변화를 구성하고 있다.

한편 기업이 뚜렷한 목적을 가지고 시행하는 이벤트도 적지 않다. 장기적인 시점에서 기업이나 브랜드의 이미지를 상승시키거나 인지도를 높이고 친근감의 조성을 목표로 하는 '이미지 업' 형태로부터 그 자리에서 직접 판매하여 단기적인 매상 확보를 목적으로 하는 '판매 기회 창출'의 형태까지 '이벤트의 목표'에도 여러 가지가 있다. 이 두 개의 타입

사이에는 신제품 또는 신(新)서비스의 고지나 상품 정보의 이해 촉진을 꾀하는 '정보 어필형'도 있으며 관계자의 의욕을 높임으로써 일상적인 영업활동을 지원하는 '영업 보완형'도 있다.

즉 기업 이벤트에는 이익의 추구라는 최종 목표에 대해서 직접적인 수입을 노리는 것으로부터 간접적인 효과를 기대하는 것까지, 실로 다채로운 선택의 여지가 있다고 하는 것이다.

이처럼 기업 이벤트는 '대상'과 '목적'이라는 두 개의 축으로 이루어지는 평면 좌표를 거의 모두 포괄하고 있다. 이벤트가 기여할 수 있는 영역은 상상 이상으로 넓다. 간접적인 효과까지 포함한다면 기업활동이 안고 있는 거의 모든 과제에 대해서 활용할 수도 있고, 실제로 그만큼 사용되고 있다.

예를 들어 '문화발전에 기여하는 기업'이라는 이미지를 정착시키기 위해서 문화 이벤트에 스폰서가 되거나 이른바 예술문화 지원활동에 힘을 쓰거나 하는 것이다. 혹은 지역사회에 협조하는 모습을 보여주기 위해서 지역 이벤트를 협찬하거나 사원을 적극적으로 참가시키기도 한다.

반대로 사원이나 거래처를 포함한 '내부인(inner)'에 대해서는 의욕을 높이기 위한 '인센티브 이벤트'를 자주 실시한다. 세일즈맨을 리조트에 모아 세일즈 미팅과 교류 파티를 실시하거나, 영업 성적이 우수한 사람을 가족과 함께 해외로 초대하여 포상 파티를 열거나 한다.

또 자사 제품을 프레젠테이션하기 위한 전시회나 발표회가 있으며 상담회의나 특별 판매회의 등도 있다. 게다가 이것들은 일반 사용자를 위한 것, 바이어를 위한 것, 언론기관을 위한 것 등, 목적이 달라질 때마다 스타일을 바꾸어 실시하고 있다. 그리고 자사 제품의 유통 관계자를 모아 신기술이나 신제품의 특장과 장점을 연수·교육하기 위해 기술설명회를 실시하거나 판매대리점 등과의 교류를 친밀하게 하기 위해 딜러들(dealers)의 미팅을 주최하거나 한다.

물론 판매망을 무대로 한 시승회(試乘會)와 같은 특별 캠페인도 있으며 거리에서 상품을 실제로 손에 들게 해주는 가두판매나 모니터링도 있다. 최근에는 사용자와의 거리를 줄이는 것을 목적으로 한 공모나 콘테스트형의 이벤트도 많아졌다.

이와 같이 이벤트가 맡는 범위는 지극히 넓고, 실로 많은 역할을 담당하고 있다. 대상마다 혹은 목적마다 최적의 프로그램 메뉴가 여러 가지 개발되고 있기 때문에 목표로 하는 효과만을 위해, 그 목표를 좁힌 핀포인트 이벤트도 만들 수 있고, 그것들을 조합하는 형식으로 복합적인 효과를 노릴 수도 있게 되었다. 이제 이벤트는 틀림없이 기업활동에 있어서 불가결한 존재이다. 기업 전략은 다양한 이벤트의 짜맞춤으로 성립되어 있다고 해도 과언은 아니다.

이벤트는 의식개혁의 중요한 도구

그것뿐만이 아니다. 기업활동에 결정적인 역할을 다하고 있는 이벤트도 있다. 기업이 사내 개혁을 위해서 실시하는, 이른바 '전사적 프로젝트' 등이다.

많은 기업에서는 '○○21 프로젝트'라든지 '넥스트 ○○계획'이라는 이름 아래 중점 시책을 내걸고 그 달성을 향한 활동을 전개하고 있다.

예를 들어 어느 메이커가 비용 삭감을 목표로 내건 프로젝트를 시작했다고 하자. 우선 처음에 해야 할 것은 사장이 스스로 사원을 향해 의의와 결의를 담아 '2년 이내에 제조 비용 ○% 삭감!'이라는 구체적인 도달 목표를 명확히 발표하는 것이다. 동시에 관계 부문으로부터 우수한 스태프를 모아 프로젝트 팀을 발족시켜 회사의 모든 부서를 포괄하는 프로젝트 추진틀을 만든다. 이렇게 하여 전 사원을 운동에 참여하게 만든 구조를 토대로 구체적인 과제수행에 착수한다.

한마디로 비용 삭감이라고는 하지만 생산 라인의 간소화, 부품수의 삭감, 재고 관리의 합리화, 매입원가 절감, 소재의 변경 등 검토해야 할 과제는 여러 가지가 있기 때문에 가능성이 있는 수단을 하나하나 연구해나가야 하고 실제로 생산 과정을 바꾸기 위해서는 그것들을 모순이 없는 하나의 시스템으로 짜내는 것이 필요하다.

무엇보다 최종 시한이 결정되어 있어 달성 목표가 수치로 나타나기 때문에 실제로 성과를 올리지 않으면 안 된다. 언제까지나 검토만 하고 있어서는 추진이 안 되고, 남의 일처럼 비평만 하고 있을 수도 없다. 관계자 모두가 구체적인 시한과 목표를 향해 에너지를 집중시키지 않으면 프로젝트는 결코 앞으로 나가지 않는다.

잊어서는 안 될 것은, 이와 같은 활동이 궤도에 올라 한 사람 한 사람의 의식 속에 잘 작용되기 시작하면 '실제로 목표 수치를 달성'하는 직접적인 성과에 더해서, 눈에 보이지 않는 다양한 효과들이 생겨난다는 것이다. 기술자들에게는 코스트(cost, 비용) 의식이 주입되고, 간접 부문의 담당자에게도 "어떻게 하면 비용이 절감되는가"를 실감하게 만들 수 있다. 이렇게 되면 잘 된 것이다. 단지 생산비용의 절감에 성공했을 뿐만 아니라, 기업의 체질을 바꾼 것이 된다. 오히려 최종적인 미션은 이쪽인 것이다.

중요한 것은 '이벤트'로서 꾸미는 것

이밖에도 이와 같은 프로젝트의 테마에는 여러 가지가 있다. 고객만족도 향상, 개발 기간이나 납기의 단축, 재활용의 철저한 실천 등 기업에 따라서 우선시되는 과제는 천차만별이겠지만 한 가지 공통되는 것이 있다. 그것은 어느 경우도 이벤트의 조건을 모두 갖추고 있다는 사실이다.

꾸미는 사람이 있고 미션이 있다.

꾸미는 사람은 경영진이고, 그 시점에서 기업에 가장 우선적인 과제가 미션이 된다. 그리고 아마 진정한 미션은 기업의 체질 개선일 것이다.

목적이 있고 메시지가 있다.

대상은 자사 종업원, 메시지는 '체질 개선에 대한 의식 개혁과 구체적 방안에 참가하는 것'이다. 단순한 사무용품의 절약운동 등과 달리 이러한 프로젝트에는 강한 메시지가 있다.

이념이 있고 전략이 있다.

원래 '경쟁력 강화를 향한 사내 개혁'이라는 목적과 "그것을 위해 이루어내야 할 것은 무엇인가"라는 문제의식이 뒷받침된 명쾌한 이념이 프로젝트의 동기이다. 프로젝트를 실제로 가동시켜 기능하게 하기 위한 전략이 마련되어야 하는 것은 말할 필요도 없다.

시작이 있고 끝이 있다.

이것도 그대로다. 반드시 달성 목표에는 시한이 제시된다. '언제까지' 라는 기한이 없이 질질 끌고 있으면 단순한 정신론으로 끝나버리기 때문이다.

평상시와 다른 특별한 행위가 내포되어 있다.

일상의 틀과 다른 '프로젝트'로서 수행되기 때문에 당연히 그렇게 된다. 그 때만의 특별한 힘이 생겨나는 것은 '평상시와 다른 특별한' 활동이기 때문이다.

이와 같이 이러한 프로젝트는 근본적으로 이벤트의 구조를 갖추고 있다.

단지 아침회의 때 "여러분, 힘든 시대이니 만큼 가능한 한 경비 삭감에 노력합시다!"라고 훈시를 하는 것만으로는 아무것도 바뀌지 않는다는 것이다. 실제로 바꾸고 싶다고 생각한다면 '몇 년 내에'라고 시한을 설정하고, '몇 % 절감'이라는 명쾌한 목표를 내걸어 구체적인 프로젝트를 추진시키는 수밖에 없다. 즉 프로젝트를 '이벤트로' 꾸미는 것이다.

기업이 이것을 이벤트라고 인식하고 있는지 아닌지는 별도로 하더라도 실제로 이러한 '이벤트적' 기법이 기업에 활력을 불어넣는 무기로서 활용되고 있다.

그리고 이미 당연히 이벤트가 가지는 이러한 기능과 역할은 기업 이벤트만의 것은 아니다. 행정기관 이벤트도 지역 이벤트도 그리고 사적인 이벤트도 마찬가지다. 효과적으로 사용하면 큰 힘이 발생한다. 실제로 뛰어난 이벤트는 다양한 분야에서 크게 기여하고 있다.

이벤트는 지극히 유연한 도구이다. 여러 가지 영역에까지 넓혀서 활용할 수 있다. 그렇게 하지 않으면 손해이다.

이벤트는 주최자의 의식에도 작용한다

이벤트는 누군가가 누군가에게 꾸미는 것이니까 벡터(vector)의 방향이 당연히 내부에서 외부로 향하고 있다. 이벤트라는 커뮤니케이션 도구가 사용되는 것은 연출자가 대외적으로 무언가 어필(appeal)하고 싶다고 생각했을 때이다. 그리고 이벤트는 목적에 대해서 스스로를 어필하거나 특정 메시지를 전하거나 하기 위한 미디어가 된다.

그러나 다른 한편으로 잊어서는 안 될 것은 이벤트는 연출자, 곧 '주최자'의 의식에도 영향을 미친다고 하는 중요한 사실이다. 상대에 대해 무언가 움직임을 하고 있는 동안에 자신도 모르는 사이에 자기 스스로를 바꾸어놓는 일도 드물지 않기 때문이다.

예를 들어 그 가장 원시적인 현상의 하나로, 주최자끼리의 상호 이해와 연대 의식이 생겨난다고 하는 특성이 있다. 함께 이벤트에 임하는 동안 관계자의 결속력이 나날이 높아져 끝난 후에는 전우 의식이 싹튼다고 하는 독특한 감각은 누구나 한 번은 경험하는 것이다.

주된 미션과는 다른 부차적인 효과지만 경우에 따라서는 이쪽에 주목적을 두는 이벤트도 있다. 그 예로 학예회를 들 수 있다.

학예회의 기본 목적은 학생들이 학부모라는 '관객'에게 프레젠테이션하는 것이니까 대외적인 커뮤니케이션을 목적으로 하는 이벤트임이 분명하다. 연극이나 연주를 통해 평소 가정에서는 볼 수 없었던 아이들의 표정을 접할 수 있고, 상연을 위해 노력하는 가운데 학생들의 창의력이나 표현력을 기르는 효과도 기대할 수 있다.

하지만 그것들과 같은 정도로, 아니 오히려 그 이상으로 중요한 것은 학생들 사이에 연대감을 조성하는 것이다. 하나의 프로젝트를 완성한 성취감은 연대의식을 키우지 않고서는 공유할 수 없다. 연습 과정에서 친구들의 새로운 면을 발견하거나 평소와는 다른 관계에 놓여짐으로써 서로에 대한 이해도 증진된다.

이벤트는 관계자 사이에 공통의 목표를 향한 공동작업을 '강요'한다. 공연 당일까지 한정된 시간 속에서 필요한 작업을 모두 완료하지 않으면 안 되기 때문에, 스스로 상호 이해와 협력이 촉진된다. 즉 이벤트는 관계자의 연대의식과 귀속의식을 양성해 결속력을 높임으로써 조직을 활성화시킨다.

학예회나 체육대회의 진정한 미션은 아마도 여기에 있을 것이다. 많은 지역 이벤트 역시 이러한 효용에 대한 기대가 개최 동기가 되고 있다.

이벤트는 CI와 닮았다

이벤트는 기본적으로는 밖을 향한 일이면서도 반자동적으로 내향의 벡터가 작용한다는 구조적 특성을 가지고 있다. 바꿔 말하면 태생적으로 '겉으로 보이는 얼굴'과 '내면의 얼굴'이라는 두 개의 얼굴을 겸비하고 있다는 것이다.

이 특성은 예전에 비즈니스업계에서 일세를 풍미 한 'CI'와 매우 닮은 바가 있다. 말할 나위 없이 CI는 기업의 정체성(corporate identity)을 확립하는 수법으로서 태어난 것으로 지금에 와서는 지역사회에도 부연되는 개념(community identity)이다.

CI란 로고나 심볼 마크의 디자인을 새롭게 하는 것이라고 생각되기 쉽지만 물론 그것만은 아니다. CI란 표리의 관계에 있는 두 가지의 액션(action)을 동시에 진행하는 것으로 단순한 로고나 마크의 디자인 변경만을 의미하는 것이 아니다.

CI가 임해야 할 두 가지의 액션이라는 것은 '얼굴을 내보인다'는 대외적인 운동과, '몸으로 기억한다'는 대내적인 운동이다.

'얼굴을 보인다'는 것은 기업이나 지역의 아이덴티티 즉 이념이나 입장, 대처방안이나 지향하는 목표 등을 외부에 대해 제대로 어필하는 것이다. 요컨대 "나는 이런 사람입니다", "이것이 나의 특징입니다", "나는 이것을 목표로 합니다"라고 선언하는 것이다.

물론 누구나 이해하기 쉽고 호감이 가는 것이어야 한다. 또한 선언하는 이상 효과적으로 전달하고 쉽고 강한 인상을 남겨야 할 것이다. 따라서 전하는 방법이나 그 표정을 위해 고민한다. 로고나 심볼 마크가 중시되는 것은 도구로써 중요한 기능을 기대할 수 있기 때문이다. 반대로 말하면 그것들은 단순한 도구에 지나지 않는다.

본래의 CI라는 것은 이들 도구를 무기삼아 기업이나 지역의 아이덴티티를 매력적으로 연출해, 그 이미지를 목표 대상에 효과적으로 침투시키는 것을 말한다.

한편 CI에는 또 하나의 중요한 일이 있다. 그것이 '몸으로 기억한다'는 것이다. "나는 이런 사람이 되겠습니다"라고 선언한 이상, 자신이 실제로는 그렇게 되지 않으면 실없는 사람이 되어버리기 때문에 '현재의 나'를 '선언된 나'로 변화시키기 위한 구체적인 행동을 취하게 된다. 즉 새로운 아이덴티티가 명실공히 제 기능을 발휘하기 위해서는 자신을 변화시키는 것을 피할 수 없다는 것이다.

게다가 대개의 경우 실제로 그렇게 되기 위해서는 가장 먼저 의식 개혁이 필요하다. CI는 이러한 일련의 움직임을 가능하게 하는 스프링 보드(spring board: 도약대)가 되는 것이다.

이것이 CI가 다른 면으로 하는 역할이다. 대외적인 CI 운동을 진행시켜나가는 동안에 CI를 전개하는 회사의 직원이나 지역주민의 의식이 자연스럽게 변해간다. 즉 CI는 스스로에게 변혁을 강요한다.

사실 이것이 CI의 진수라 할 수 있다. CI란 지역이나 기업이 스스로를 바꾸기 위한 방법으로 기업이 CI에 임하는 것은 사내의 의식이나 체질을 바꾸고 싶기 때문이다.

이벤트도 이것과 같아 '상대에게 어필하면서 한편으로는 스스로를 변화시킨다'는 성질을 가지고 있다.

예를 들어 일본 종이로 유명한 마을이 지역의 활성화를 위해서 새로운 축제를 만들려고 생각했다고 하자. 아마 논의의 시작은 "외부에 무엇을 부각시켜야 할 것인가", "어떻게 하면 사람이 많이 올 것인가?"이겠지만, 점차 "이 지역의 정체성(identity)이란 무엇인가?", "우리들은 무엇을 가지고 있고, 무엇을 할 수 있는가" 등등 좀더 본질적인 방향으로 논의가 전개되어갈 것이다. 필연적으로 스스로의 지역을 진지하게 돌아보게 될 것이다.

또 당연히 "어떠한 틀로 임하면 지역 사람들의 협력과 참가를 이끌어낼 수 있을 것인가?" "이벤트를 지역 전체로 확대하려면 어떻게 하면 좋을 것인가" 하는 전략을 가다듬게 된다. 행정기관, 기업, 단체, 학교를 비롯하여 지역을 형성하는 여러 가지의 그룹들의 참가를 꾀할 것이고, 그것을 촉진하기 위한 다양한 수단을 강구하게 된다.

그렇게 준비해나가는 가운데 몇 개의 기간 프로그램이 복합적으로 기획될 것이다.

예를 들어 지역 내 타업종의 기업과 손을 잡아 만든 새로운 일본 종이 제품을 제안하는 전시회가 될지도 모르고, 일본 종이를 사용한 가구나 조명기구, 일본 종이를 소재로 한 인테리어 공간, 일본 종이의 느낌을 살린 식탁보나 패션 제품 등, 여러 가지 참신한 아이디어나 신상품의 디자인이 새로 태어날 것이다. 참가 기업은 관객의 반응을 보면서 상품화의 길을 찾을 수 있고, 경우에 따라서는 그 지역의 오리지날 브랜드를 만들 수도 있다.

중요한 것은 여태까지 종이와는 인연이 없던 현지 기업이 일본 종이에 대해서 생각하게 된다는 것이고, 이른바 타업종과의 구체적이고 다각적인 교류가 이루어질 수 있다는 것이다.

지역산업의 교류와 복합화의 필요성이 오랫동안 주장되어왔지만, 그렇게 간단하게 실효를 얻기는 어렵다. 회의실에 모두 모아놓고 "자, 지금부터 교류해주세요"라고 말하는 것만으로 타업종과의 교류가 시작되는 것은 아니기 때문이다. 알기 쉽고 구체적인 당면목표가 제시되는 한편 그것을 위해 어느 의미에서는 강제하는 계기가 있어야 한다. 역시 구체적인 프로젝트를 준비하는 것이 제일이다. 이러한 도구로서 이벤트보다 우수한 것이 없다.

물론 그밖에도 여러 가지 프로그램이 전개될 것이다. 종이를 사용한 예술 작품을 세계 여러 나라로부터 공모해 콘테스트를 여는 것도 좋고, 현지의 일본 종이로 세계 제일의 종이학을 접는 것도 좋다. 혹은 동네의 음식점이 모두 일본 종이를 식탁보로 사용해, 풍성한 경단으로 손님을 새롭게 맞이해준다거나, 시민 한 사람 한 사람이 직접 만든 등불에 불을 켜서 현관 앞을 장식하면 틀림없이 아름다울 것이다. 프로그램의 아이디어는 무한하다.

어쨌든 이러한 프로그램을 복합적으로 전개함으로써 지역의 누구나가 자기 지역과 일본 종이와의 관계를 재차 의식하게 되고, 일본 종이를 통해서 무엇을 보여줄 수 있을지를 각각의 입장과 경험으로 생각하게 된다. "자기의 지역은 자기 스스로 만든다"는 참가 의식이 싹트고 연대감이 형성된다. 그리고 최대 장점은 지역에 대한 자부심이 생긴다는 것이다. 이벤트를 전략적으로 살리면, 지역은 천천히, 그러나 착실하게 변해간다.

이벤트를 준비, 시행하는 과정중에 경험하게 되는 자기변혁 역시 이벤트의 본질이다. 외부에 대해 정체성(identity)을 부각시키고 메시지를 전하기 위해서 시행하고 있을 뿐인데, 어느새 그것이 그대로 자기의 변혁으로 연결되어 있는 것이다. 마치 거울을 향해 하는 행동처럼, 상대를 향한 일이 결국엔 자신에게 되돌아온다.

비일상의 무대를 꾸미는 것으로 이벤트는 강한 충격을 통한 메세지를 보내 '기억'과 '이미지'를 남긴다. 그러나 그 한편, 이벤트는 당사자의 의식과 의욕을 한 곳에 수렴시켜간다. 이 때 이벤트가 만드는 것은 '사람'이고, '관계'이다.

이 복합작용이 이벤트의 최대 무기이다. 이 두 가지의 작용을 잘 조정함으로써 이벤트는 다른 사업에서는 흉내를 낼 수 없는 복합적인 효과를 가져올 수가 있다.

매스미디어나 전자미디어로서는 이런 효과를 얻을 수 없다.

제3장 이벤트는 미디어다

이벤트는 '납득시키는' 미디어

이벤트는 미디어다. 앞서 서술했지만, 이벤트란 메시지를 보내는 수단이다. 무엇인가를 꾸미려고 결의하는 것은 대부분의 경우 어떤 메시지를 전하고 싶기 때문이다.

우리 주변에는 무수한 미디어가 있다. 신제품을 알리는 수단이라면, 텔레비전 CM이나 신문·잡지의 광고가 있고, 역의 간판이나 전철 차량 안의 포스터를 이용하는 방법도 있다. DM(direct mail)을 보내는 방법도 있고, 홈페이지도 큰 역할을 할 것이다. 그녀에게 마음을 전하는 수단이라면, 편지나 전화도 있고, 긴장하지 않고 가벼운 마음으로 말할 수 있는 전자메일도 있다.

이러한 환경 속에서 이벤트라는 도구가 쓰인다고 하면, 그것은 다른 많은 미디어와 비교된 후에 '선택된' 것이 틀림없다. 미션을 달성하는 데 가장 적당한 미디어라고 인정했기 때문에 일부러 이 수단을 선택했다는 것이 된다. 그렇지 않으면 이런 수고스러운 이벤트 따위를 하려고 생각할 리 없다. 어쨌든 이벤트는 수많은 미디어 중에서 가장 '수고스러운' 수단이다.

그럼에도 불구하고 이벤트를 선택하는 이유는 단순하다. 이벤트에는 다른 미디어에는 없는 장점이 있기 때문이다. 그러면, 매스미디어에도 전자미디어에도 없고, 이벤트만이 가지는 장점은 무엇인가?

나는 그것을 '납득'시키는 것이라고 생각한다. 즉 이벤트만이 '납득시킬 수 있는' 미디어라는 것이다.

'아는' 것과 '납득하는' 것은 다르다. 바꿔 말해 '알고 있는 것'과 '납득한 것'은 같지 않다.

"아, 알았다!"고 느낀 순간을 생각하면 좋을 것이다. 잡지나 텔레비전의 영상을 단순히 눈으로 쫓고 있을 뿐일 때에는 그렇게 느낄 수 없을 것이다. '알았다'고 느끼는 것은 대체로 신체 감각으로 무언가 실감을 얻었을 때가 아닌가.

처음으로 자전거를 탈 수 있게 되었을 때, 처음으로 분수의 나눗셈을 할 수 있게 되었을 때, 요리의 간 맞추기를 체득했을 때, 처음으로 예술 작품에 감동했을 때……, 모두 그렇다. 이러한 감각을 가져오는 것은 실제 체험밖에 없다.

'납득한다'는 것은 즉 스스로의 몸으로 느끼는 실감을 말한다. 자신의 몸 속에 들어오는 느낌. 그러니까 '오장육부에 와닿는다'*고도 하는 것이다. '납득하는' 데에는 시각(視覺)만으로는 불충분할 것이다.

학교에서 나는 건축을 배웠는데, 선생님께서는 '책을 읽는 것만으로는 안 된다. 현장을 보러가라'고 자주 말씀하셨다. 과연 그대로였다. 건축이 취급하는 것은 '공간'이므로, 사진을 보는 것만으로는 정확하게 알 수 없는 것이다.

실제로 그 안에 들어가서 빛을 느끼고 공기를 들이마셔보지 않고서는 공간의 의미를 알 수 없다. 그래서 건축과 학생들은 모두 배낭을 매고 유럽 구석구석을 걸어 다녔다. 물론 나도 그렇게 했다. 코르뷰제의 주택

---

* 일본어에서 '腑に落ちる'라고 한다

도, 토스카나의 광장도, 안달루시아의 거리도, 책으로부터 상상했던 이미지와는 전혀 달랐다. 당연했다. 사람은 누구든지 경험하지 않았던 것을 파악할 수 없는 법이다.

1박 500엔의 호텔에 머무르고, 딱딱한 빵을 갉아먹으면서, 나는 유럽의 공간들이 가진 풍요로움과 깊이에 충격을 받았다. 공간은 체험하지 않으면 알 수 없다는 자명한 사실을 이 때 처음 몸으로 이해했다.

이 때의 경험은 내 안에 '공간'에 관한 많은 생각들을 심어주었다. '공간을 마주할 때의 감성'이라고 해야 할 것들이다. 물론 그 이전에도 학교에서 배우고 있었기 때문에 지식으로는 알고 있었지만, 스스로의 감성으로 유럽의 공간과 마주볼 수 있었던 것은 이 때가 처음이었다.

학생시절의 여행은 나에게 이국의 건축을, '보는' 대상이 아니라 전인적으로 '대화하는' 대상으로 바꾸어주었다. 약간 '납득했기' 때문이다.

이벤트에는 '실감'이 있다

인포메이션 수준의 한정된 정보라면 이제는 인터넷을 통해 간단히 입수할 수 있다. 어떤 것이라도 인터넷을 이용해 우선 '아는' 것은 가능해졌다. 검색하면 대부분의 데이터를 찾을 수 있고, 영상 자료도 풍부하다.

그러나 그렇다고 해서 뭐든지 '알 수 있는' 것은 아니다. 인터넷으로 아무리 조사해도, 가이드북을 몇 권씩 읽어봐도, 낯선 거리는 리얼하게 파악할 수 없듯이 매스 미디어나 전자미디어에는 '인포메이션'은 있어도 '실감'은 없다.

하지만 이벤트는 다르다. 전파나 케이블로 송신 가능한 인포메이션뿐만 아니라, 마침 그 때 그 자리에 있게 된 사람만이 공유할 수 있는 '경험'이 있다.

길거리의 작은 시음회나 시연회도 그렇다. 새로운 캔맥주의 홍보 이벤트를 경험했다고 생각하자. 실제로 손에 들고 마셔보면, '아, 이런 맛이구나', '확실히 지금까지와는 조금 다르구나', '가격에 비해서는 감칠맛이 있네' 등등, 문자 그대로 체감 할 수 있다.

맛뿐만이 아니다. 거품의 감촉이나 색이나 향기, 캔의 디자인이나 손에 든 감촉 등, 신상품을 구성하는 다양한 요인이 오감을 통해 그대로 몸속으로 들어온다. 그 상품의 전체상을 순간에 이해할 수 있다. 매스미디어나 전자미디어로는 도저히 불가능한 기능이다.

이것이 이벤트의 강점이다. 정보의 전파력으로는 매스미디어를 이길 수는 없고, 정보의 변화와 신선도라면 전자미디어와 비교조차 못한다. 그러나 이벤트에는 '실감'이 있다. '오장육부에 와닿기' 때문에 경험이 된다.

정보에 둘러싸여 살아가는 우리들은 참으로 많은 것을 알고 있다. 하지만 그 대부분은 그대로 그냥 지나가버릴 뿐이다. 지식으로써는 알고 있어도, 자신과의 관계 속에서 생각하는 수준까지는 좀처럼 발전되지 않는다.

이벤트에는 이러한 사람과 정보와의 관계를 바꿀 가능성이 있다. '평소 아무렇지도 않게 보고 지나간 것'이나 '자신과 관련시켜 인식하고 있지 않았던 것'을, '스스로의 감성으로 인식'하거나 '자신에게 있어서의 의미를 발견'하는 계기가 될 수 있기 때문이다.

맥주의 신제품에 관해서도 그것이 지금까지와는 다른 맛이라든가, 엄선된 소재를 사용하고 있다든가 하는 '데이터로서의 정보'는 이미 매스미디어를 통해 알고 있을지도 모른다. 하지만 그것만으로는 아직 자기자신의 문제라고 생각하지 않는다. 실제로 오감으로 느끼고, 실감해보고 나서야 비로소 자신의 선택사항에 포함할 것인지를 생각하기 시작한다.

이벤트란 이를 위한 스위치와 같은 것이다.

온몸을 감싸는 환경

정보를 신체 감각에 호소하기 위해서는 세 가지의 조건이 필요하다. '온 몸을 감싸는 환경', '오감에 대한 자극', '반응의 캐치볼'. 이렇게 세 개이다. 사실 이벤트는 이 모든 것을 채우는 불과 몇 개 안 되는 수단 중의 하나이다.

'온 몸을 감싸는 환경'이란 즉 메시지를 전하는 무대가 '공간'이라는 말이다. 상대를 공간 안에 놓고 정보를 전한다. 물건을 '보는' 것만이 아니고, 자기 자신이 바로 여기에 '있다'고 하는 감각. 그 점이 매스미디어나 전자미디어와는 결정적으로 다르다.

인터넷은 편리하지만, 우리들은 밖에서 모니터를 '보는' 수밖에는 방법이 없고, 대상이 되는 정보와 그것을 보고 있는 자신 사이에는 엄연히 벽이 가로막혀 있다. 말하자면 '창문을 통한 커뮤니케이션' 수준을 넘을 수 없다는 것이다. 서로 창문 저쪽편으로는 갈 수 없는 것이다.

하지만 이벤트는 다르다. 정보를 제공하는 사람과 수용하는 사람이 같은 공간 안에 있다. 공간을 공유하고 행동을 함께한다. 그러므로 이벤트에 가는 것을 '참가'라고 한다. 텔레비전을 보거나 잡지를 사거나 하는 것을 참가라고 말하지는 않지만, 이벤트에 발길을 옮기는 것은 '참가'라고 부르는 것 외에 달리 표현할 방도가 없다. 참가란 '모임의 일원으로서 들어가, 행동을 함께하는 것'이다.

이벤트에서 정보를 제공하는 사람과 수용하는 사람의 관계는 어디까지나 수평적이다. 캔맥주를 프레젠테이션하는 홍보 도우미와 그것을 보고 있는 젊은이는 같은 장소에서, 같은 공기를 들이마시고 있다. 이러한 환경과 조건 밑에서 정보의 교환을 한다.

요컨대, 이벤트란 '공간 체험'과 다름없다는 것이다.

오감에 대한 자극

'오감에 대한 자극'이라는 것은 '체감'할 수 있음을 말하는 것이다. 공간을 무대로 하고 있으니까 당연하지만, 이벤트에서는 다섯 개의 모든 감각이 동원된다. 시각뿐만이 아니라 피부로 느낄 수 있는 환경이므로, 정보 제공자가 정보 수용자의 피부 감각에 호소하는 것이 가능하다.

원래 이벤트는 그것을 위해 존재한다. 인터넷으로 제품 정보를 간단히 입수할 수 있는 시대가 되어도 아직도 상품전시회가 계속되고 있는 것은 이 때문이다. 결국은 손에 들어보지 않으면 알 수 없고, 실제로 움직이고 있는 모습을 눈으로 보지 않으면 실감이 나지 않는다. 가본 적이 없는 거리를 정말로 알고 싶다면, 현지로 발길을 옮기는 수밖에 없는 것과 같다.

길거리의 시음회는 물론이고, 불과 2주간에 백수십만 명을 모으는 '도쿄 모터쇼'도 기본적으로는 그런 것이다. 자동차 매니아가 대거 찾아오는 것은 결국 자신의 손으로 만져보고 싶다는 단순한 동기 때문이다. 참신한 컨셉의 자동차에 손이 미치는 곳까지 가까워지고 싶고, 같은 공간 안에서 피부로 느끼고 싶은 것이다. 그러나 운전해볼 수는 없기 때문에, 그 대신에 가능한 한 생생한 느낌을 주려고 메이커측도 시각적인 수법을 구사하여 방문객을 맞이한다. 이것들은 모두 생생한 '공기'*를 만들어내기 위해서이다.

반응의 캐치볼

'반응의 캐치볼'이란 인터랙티브(상호작용: interactive), 즉 쌍방향성인

---

* 공기라는 말은 일본에서도 사용하지 않는다. 이 단어가 의미하는 것은 '분위기'로서, 이는 작가의 독특한 의도가 담긴 표현이다. — 역자 주.

것이다. '실감'을 주기 위해서는 정보를 일방적으로 흘려보내는 것만으로는 안 된다. 정보를 수용하는 사람의 입장에서 본다면, 역시 보내는 사람의 얼굴을 보고 싶고, 이쪽의 사정도 알아주었으면 하는 것이다. 상황에 따른 대응을 해주었으면 하고, 넘어졌을 때에는 손을 빌려주었으면 한다. 만일 영어회화를 배운다면, 라디오 강좌를 듣는 것보다도 영어회화 학원에 다니는 편이 더 빨리 실력이 늘게 되고, 개인 레슨은 한층 더 효과가 높다. 이 차이는 아마 인터랙티브성의 차이일 것이다.

이벤트에서는 정보를 제공하는 사람과 수용하는 사람이 같은 장소에 있다. 양쪽 모두에게 상대방의 얼굴이 보이고 있다. 거기서 양자가 직접 접촉하면, 서로 반응하지 않을 수 없게 된다. 즉 이벤트에서는 서로의 반응을 피부로 감지하는 것, 즉 '교류'가 생기는 것이 필연이다.

이 특성은 매스미디어에는 없다. 전자미디어는 인터랙티브성을 자랑으로 여기고 있지만, 어디까지나 그것은 '머리'에서의 교환에 지나지 않는다. 하지만 이벤트에서는 '온 몸'이 안테나가 된다.

폴 매카트니는 아직도 라이브 스테이지를 계속하고 있는데, 그 이유에 대해 질문을 받았을 때 바로 이렇게 대답했다고 한다.

페이오프(pay-off)가 있기 때문에.

'페이오프'란 '보수(報酬)'를 의미하지만, 그는 물론 개런티 등을 말했던 것이 아니다. 환성, 웃는 얼굴, 박수, 관중들의 합창, 손 박자 ……. 관객으로부터 직접적인 반응을 피부로 느낄 때, 비로소 음악 활동에 대한 보상을 받은 기분을 느낀다고 말했다.

이러한 인터랙티브성은 공간미디어 밖에서는 찾아볼 수 없다. 인터넷에서는 이벤트 행사장의 열기를 전하는 것조차 하지 못한다. '공기'를 수송할 수는 없다.

덧붙여 말하면, 상대방의 반응을 직접 접할 수 있다는 이벤트의 특성은, 마케팅의 무기가 된다. 맥주 시음회를 예로 든다면, 한 모금 마셨을 때에 상대가 어떤 표정을 보이는지, 그 후 어떤 행동을 보이는지, 다 마신 후에 무슨 말을 하는지, 어떤 질문을 하는지 등 생생한 반응을 접할 수 있다. 그것들은 모두 엽서나 인터넷에 의한 설문조사에서는 얻을 수 없는 귀중한 정보이다.

이벤트와 다른 미디어와의 결정적인 차이가 여기에 있다.

스테이크를 팔지 말라!

수많은 미디어 중에서 공간미디어만이 취급할 수 있는 요소가 있다. 바로 '공기'이다. 그 중에서도 이벤트는 그 필두로서 '공기'를 전할 수가 있고, '공기'로 전하는 것을 자랑으로 여기고 있다.

마침 그 때 그 자리에 있던 사람만이 공유할 수 있는 시간의 흐름. 신체 감각으로서의 커뮤니케이션 ……. 이벤트의 본질은 '수송도 재현도 할 수 없는' 것이다.

이벤트의 세계에 뛰어들었을 때, 가장 먼저 배운 말을 나는 지금도 잊지 않았다.

스테이크를 팔지 말고 시즐을 팔라.

시즐(sizzle)이라는 것은 고기가 구워질 때 내는 지글지글하는 소리를 말한다. '이 고기는 ○○산으로 이렇게 정성껏 사육하고 있습니다'라든지, '육질이 아주 좋아 ○○대상의 그랑프리에 빛나는 고기입니다'라든지, 자기선전을 아무리 열거해보았자 식욕이 솟지는 않는다. 고기를 팔고 싶다고 생각한다면, 그 지글거리는 소리와 냄새를 직접 느끼게 해줘야 한다는 것이다.

자기선전은 논리이다. 논리로 식욕이 자극되는 것이 아니다. 논리로 호소하면 이성으로 반응한다. 하지만 그 소리와 냄새는 논리가 아니기 때문에 이성이 이길 수는 없다. 닭꼬치나 장어구이도 마찬가지지만, 이유를 생각하는 것보다 빨리 손이 나오고, 생각하기 전에 상점에 들어서 있게 될 것이다.

이벤트란 그러한 것이라고 배웠다. "'시즐의 느낌'을 소중히 하라"라는 말을 몇 번이나 들었다. 확실히 이벤트의 참뜻을 알아맞춘 말이라고 생각한다.

이벤트라는 것은 머리에서의 논리적인 '이해'보다 피부 감각에서의 '체감'에 맞는 미디어이고, '말'보다 '공간'이, '논리'보다 '체험'이 힘을 가지는 정보 환경이다.

나는 이벤트를 생각할 때, 언제나 이 말을 머리 속에서 복창한다. 지금까지 한번도 잊었던 적이 없고, 앞으로도 정신적 지주로 삼을 생각이다.

'공연자'와 '관람객' 사이의 울타리를 제거한다

1994년에 미에현(三重縣)의 이세시(伊勢市)에서 '세계 축제 박람회'라는 박람회가 열렸다. 48헥타르(ha)의 행사장에 350만 명을 맞이했으니까, 지방 박람회 중에서는 꽤 규모가 큰 편이었다.

그 행사장 안에 '축제 존'이라고 이름을 붙인 옥외 복합시설을 만들었다. 1헥타르의 부지 안에, 세계 각지의 전통적인 가옥이나 광장, 연못이나 강, 마당이나 정원, 수경(修景)*이나 조형 등을 담은, 말하자면 미니 테마파크와 같은 구조의 야외 시설이다.

축제박람회-미에 '94 — '보는' 박람회로부터 '느끼는' 박람회로

중앙의 '친수(親水)광장' 주위를 오대륙을 상징하는 다섯 개의 존이 꽃 잎 모양으로 둘러쌌고, 각각의 존에서는 몇 채의 민가가 작은 광장을 둘 러싸듯 배치되어 있었다.

인도네시아 '트라쟈의 집', 스페인 '올리브 밭 가운데의 농가', 페루 '케츄아족(族)의 집', '세네갈의 민가', '피지의 신전(神殿)'……

21채의 가옥은 전시뿐만 아니라 음식점, 매점, 휴게소 등의 여러 가지 용도로 사용되고, 이 안을 돌아다니는 것만으로도 자연스럽게 '보고, 만 지고, 맛보고, 사고, 느긋하게 쉰다'고 하는 복합적인 비일상 체험을 할 수 있도록 만들어져 있었다. 무엇보다 단지 걷는 것만으로 즐길 수 있도

---

* 수경: 옥외 공간을 어떠한 인공적인 요소로 연출하는 것. 정원, 가로수, 화단 등 경치를 꾸며주는 가두 시설이나 조형물, 건축물의 외관이나 그래픽 사인 등을 구사해, 행사장 전체의 경관 조화나 아름다움, 의외성이나 표정 등을 만들어낸다. 이것을 위해 만들어지 는 시설을 수경이라고 한다

축제 존 — 오세아니아 광장

록 전체 환경이 연출되고 있었다.

이 복합 시설은 주최인 미에현 파빌리온을 대신하는 것이다. 지방박람회를 주최하는 현은 가장 크고 훌륭한 건물(파빌리온)을 지어 체면을 세우는 것이 통례지만, 미에현은 일부러 파빌리온이라는 형태로 하지 않았다. 왜냐하면, '파빌리온의 관내에 있을 때는 즐겁지만, 그 이외의 대기 시간은 무더위 속의 고생'이라는, 지금까지 박람회를 지배해온 '파빌리온 지상주의'에 도전해보고 싶었기 때문이다.

하지만 실은 그것과는 별도로, 또 하나의 노림수가 있었다.

이 박람회의 테마는 '축제'였기 때문에 전세계로부터 초청되어온 많은 아티스트가 연일 훌륭한 퍼포먼스를 겨루고 있었다. 그들 중에는 처음으로 일본에 온 사람도 적지 않았지만, 그러한 '축제'와 생생하게 접촉하기 위한 '특별한 무대'를 준비해야 하는 것이 아닐까 생각했던 것이다.

축제 존 — 유럽 관장

　세계의 노래나 춤을 보는 것 자체는 이제 특별한 체험이 아니다. 지방 도시에서도 그러한 기회는 상당히 증가하고 있다. 다만 접촉하는 장소가 시민 홀이나 문화회관에서이며, 기본 동작은 '보는' 것에 한정된다.

　그 역시 라이브 퍼포먼스이므로 텔레비전과는 다른 '공간 체험'임에는 틀림없지만, 거기에는 '스테이지'와 '관람석'이라는 확고한 구별이 있다. 즉 '공연자'와 '관람객' 사이에는 엄격한 울타리가 있다. 쌍방이 그것을 의식하지 않을 수 없고, 관객은 그러한 '공기' 속에서 '보는' 수밖에 없는 것이다.

　'축제 존'에서는 그러한 구조를 바꿀 수 없을지 생각해보았다. '축제'의 배경으로 '적당한 환경'과 '울타리 없이 접촉할 수 있는 공간'이 바람직하다고 생각해서 만들었던 것이 '축제 존'이었다.

　어떤 때는 소광장에서, 어떤 때는 행사장 안을 누비고 다니면서, 또한

아프리카 부룬디의 북 — 온몸으로 느끼는 리듬

어떤 때는 가옥 안에서 다양한 퍼포먼스가 전개되지만, 거기에는 스테이지도 관람석도 없다. 손을 뻗으면 닿는 곳에서 언제부터 시작할지, 연주자와 관객 사이를 갈라놓는 것은 아무것도 없다. 공간의 일체감을 생생히 느끼면서 즐거움의 나눔이 시작된다.

아프리카 부룬디의 북, 이탈리아 폿서노의 깃발춤, 오스만 투르크의 군악대, 키르기즈의 민속가극 등…….

게다가 배경에는 비일상적인 환경이 마련되었다. 필연적으로 생동감은 높아져간다.

운영 스태프도 이 '특별한' 공간을 살리는 연출에 고심해주었다. 그들은 '연출을 느끼게 하지 않는 자연스러운 공기'를 고집했다. 그 모든 노력은 시즐의 느낌을 만들기 위해서였다. 높은 밀도의 '공간성', '체감성', '인터랙티브성'을 마련할 수 있었다.

대만 아미족의 춤 — 대면적인 접촉

　시민 홀의 관람석에서 무대를 보는 것과는 전혀 다른 공간 체험이 되었다. 같은 경험을 할 수 있는 기회는 아마 두 번 다시없을 것이다.
　1회만의 특별한 경험. 이벤트에서만 허용되는 사치이다.

관람객에서 공연자로

　그리고 축제박람회에서는 또 하나, '관람객'과 '공연자'의 울타리를 제거하는 시도를 실시했다. 여러 가지 부대행사를 상연하기 위한 가설 극장, 이른바 '이벤트 광장'의 공간 구성이다.
　이때는 영구 시설인 대규모 아레나의 내부를 이벤트 홀로 개조했는데, '축제박람회'의 이름에 어울리는 새로운 컨셉을 가진 행사 공간이 요구되고 있었기 때문이다. 어쨌든 전세계로부터 일류 아티스트들이 오기로 되어 있었고, 전국의 축제도 다수 참가하기로 결정되어 있어, 상정되는 프로그램은 지금까지의 지방박람회와는 차원이 다른 규모와 질을 가지고 있었다.

그래서 정면의 메인 스테이지 앞쪽 좌우에 두 개의 서브 스테이지(sub-stage)를 마련해 삼각형을 구성하는 세 개의 스테이지를 연결해 다이나믹한 상호연출을 실시하기로 했다. 그리고 동시에 어떤 특별한 장치를 도면 안에 삽입했다.

다만, 장치라고는 해도 눈으로 보이는 것은 아무것도 없었다. 세 개의 스테이지 사이에 끼워진 메인 스테이지 앞 공간을, 그대로 손대지 않은 상태로 놓아두었을 뿐이다. 관람석과 스테이지 사이에 폭 10m의 통로 형태의 빈 공간이 남게 되었다. 이 '아무것도 없다'는 것이 장치였다.

'액팅 에어리어(acting area)'라고 이름 붙인 이 공간에서 출연자와 관람객이 혼연일체가 되어 노래하고 춤추는 장면을 마음 속에 그렸다. 클라이맥스가 되면 연기자가 스테이지에서 이 공간으로 내려와서 관람객들을 끌어당긴다. 들어왔던 관람객과 연기자가 함께 '축제'를 즐긴다. 그러한 이미지였다.

"'보는' 박람회에서 '느끼는' 박람회로"라는 이 박람회의 프로듀스 컨셉에 호응한 것이지만, 물론 이것은 모험이었다. 전례가 없었고, 혼란 없이 진행된다는 보장이 전혀 없었기 때문이다.

어쨌든 '자리에서 일어나면 경비원이 날아오는' 것이 일반적이었다. 확실히 흥분과 군중심리에 휩싸인 관람객을 정리·유도한다는 것은 일반적으로 상상하는 것 이상으로 훨씬 어렵다. 콘서트에서는 도미노처럼 넘어지는 사고가 끊임없이 일어나고, 축제에서는 싸움이 동반되는 것이 보통이다.

이벤트의 세계에서는 콘서트나 축제 등 불특정 다수의 군중이 모이는 행사의 경비를 '혼잡(행사, 군중)경비'라고 하여 다른 경비와 구별하여 생

액팅 에어리어 — 도발하는 춤꾼들

각한다. 그 정도로 행사의 경비는 어렵기 때문이다.

주최자는 그것을 잘 알고 있기 때문에, 끝까지 움직이지 않고 얌전하게 있으면 좋겠다 생각하고, 그것을 전제로 한 운영 방법을 택한다. 위험도가 높은 록 콘서트 등에서는 '자리에서 일어나면 공연을 중지한다'고 반복적으로 경고하기도 한다.

따라서 솔직히 말해 100%의 자신감이 있었던 것은 아니었다. 이제와서 하는 얘기인데, 행사 운영팀과는, 첫날에 해보고 잘 되지 않으면 운영 방법을 180도 바꾼다는 방침을 미리 결정해놓고 있었다.

하지만 걱정은 기우였다. 이 시도는 첫날부터 완전히 제 기능을 발휘했다.

개막일에 스테이지에 오른 것은, 브라질의 삼바팀과 아와오도리(阿波踊り)의 명인들이었다. 드디어 클라이맥스 장면에 접어들었다. 그들은 시

액팅 에어리어 ― 원을 그려 춤추는 관람객들

나리오대로 스테이지에서 내려와, 관람석을 도발하기 시작했다.

　하지만 반응이 없다. 모두 서로 얼굴을 마주보고 있을 뿐, 누구 한 사람 나가려고 하지 않았다. 일본인의 정서에는 맞지 않았던 것일까, 걱정했던 것과는 정반대의 문제가 발생되는 것은 아닌가라고 생각하며 단념하려고 했을 때, 두 명, 세 명, 앞으로 나가는 모습이 눈에 들어왔다.

　처음에는 멀리서 방관하고 있던 이들도, 춤꾼들에 유도되어 점점 몸을 움직였다. 상황을 지켜보고 있던 관람석의 관중들도, 춤추기 시작하는 그들을 보고 있는 동안에 표정이 바뀌어갔다. 그리고 단번에 공기가 바뀌었다.

　사람들이 계속해서 나왔다. 마지막에는 공연자와 관객이 어우러져서 디스코와 같은 열기에 싸였다. 평소의 익숙한 행사와는 완전히 다른, 신기한 광경이었다.

그후에도 매일, 이 공간은 다양한 즐거움을 나누는 무대가 되었다. 걱정을 뒤로하고, 108일의 개최기간중에 사고나 혼란은 한번도 일어나지 않았다.

물론 유명 연예인 아이돌의 콘서트와는 다르고, 운영 스태프의 노력도 컸다. 하지만 이 시도로 관람객을 관람석에 묶어두지 않아도 된다는 이벤트의 새로운 가능성을 증명했던 것은 확실하다.

무엇보다 이때만의 특별한 체험을 관람객에게 선물할 수 있었다. '보는' 입장에서 '연기하는' 입장으로 끌어올 수가 있었다.

이것이 가능한 미디어는 이벤트뿐이다. 그리고 '축제'라는 것은 원래 그러한 것이다.

수와 밀도는 이율배반

'정보를 제공하는 측과 수용하는 측의 울타리를 없애고 싶다, 그리고 양자간의 밀도 높은 교류를 도모하고 싶다'는 생각은 행사에 한정되지 않는다. 박람회 전시이벤트에서는 그것을 전시라는 형식 속에서 실현하기 위해 악전고투하게 된다.

하지만 커뮤니케이션 미디어로서의 이벤트에는 이율배반(二律背反)의 명제가 있다. 그것은 상대방의 수와 커뮤니케이션 밀도가 상반관계에 있다고 하는 단순한 사실이다. 이벤트는 이 딜레마로부터 피할 수가 없다.

생각할 것도 없이 가장 밀도 높은 커뮤니케이션 형식은 '마주 앉음'이다. 상대방의 수가 증가할수록 일인당 접촉 밀도가 저하되는 것은 피할 수 없다. 그것이 매스미디어나 전자미디어와 근본적으로 다른 점이다.

텔레비전도 광고지도 홈페이지도, 자기 자신 이외에 몇 사람이 같은 것을 보고 있어도 커뮤니케이션 밀도에는 전혀 영향이 없다. 자신과 타인 사이에는 아무 관계성도 생기지 않는다. 하지만 공간미디어에서는 그렇지가 않다.

같은 콘서트라도 돔 구장에서와 라이브 하우스에서의 아티스트와의 거리감은 완전히 다르다. 단지 물리적인 거리에 머무르지 않고, 정신적인 일체감, 공간의 공유감 등, 이미지 면에서도 크게 다르다. '공간'을 무대로 하고 있으니까 당연하다. 이벤트도 마찬가지다.

물론 그렇다고 해서 규모를 작게 하면 좋다고 하는 단순한 이야기는 아니다. 가능한 한 많은 사람과 접하기를 바라는 것은 이벤트의 타고난 본능이기도 하기 때문이다. 커뮤니케이션 미디어의 숙명과 같은 것이라고 해도 괜찮다. 많은 관람객과의 접촉을 싫어하는 이벤트가 없는 것은 아니지만, 그것은 어디까지나 예외의 경우일 뿐이다. 그러니까 '집객'이라는 개념이 이용되는 것이며, 누구나 동원(動員)수를 걱정한다.

이벤트를 만드는 측에서도 관람객수는 최대의 관심사이다. 텔레비전의 시청률과 같아, 물론 그것으로 이벤트의 성공 여부가 판단된다는 이유도 있지만, 그것뿐만은 아니다. '많은 사람과 접할 수 있었다'고 하는 성취감이, 이벤트의 최상의 묘미이다. 이론의 이야기는 아니다. 내가 이 '수와 밀도'에 대해서 생각하게 되었던 것에는 이유가 있다.

대전박람회에서의 경험

1993년, 한국 중부의 공업도시 대전에서 국제박람회가 열렸다. 규모가 그다지 크지는 않았지만, 일본을 제외한 아시아에서 처음으로 개최되는 국제박람회였다. 한국은 일본과 같이 올림픽에 이어 국제박람회를 성공시켜, 단번에 선진국 대열에 진입하려고 생각한 것 같았다.

나는 일본관의 프로듀스와 설계의 업무를 하고 있었지만, 제일 궁금

대전 국제박람회 — 한국에서 처음으로 열렸던 국제박람회

했던 것은 캐나다였다. 실은 그 때까지, 국제박람회에서는 언제나 일본과 캐나다가 최고 인기관이 되어, 좋은 라이벌이 되어왔기 때문이다. 캐나다는 매회 질이 아주 좋은 영상을 가지고 참가해왔다. 우리들은 서로 상대를 존경하고 있었고, 의식도 하고 있었다.

대전박람회에서는 외국 정부 모두 한국측이 대여하는 건물에 들어가게 되어 있었는데, 일본과 캐나다는 국제전시존의 입구에, 정확히 게이트처럼 마주보도록 배치되었다. 일본과 캐나다의 인기를 예측해 주최측이 그렇게 배치한 것이 분명했다. 양국에는 최대 규모의 건물이 주어졌지만, 그럼에도 바닥 면적은 1,000m^{2}에 못 미쳤다.

어쩔 수 없었다. 비용은 들지만, 내부에 철골로 2층을 만들어 사무관리 스페이스를 들어올리고 1층을 모두 전시에 충당해 부족한 면적을 보충하기로 했다.

다행히도 일본관은 인기를 모아, 1일 평균 2만 5,700명, 가장 많이 모

일본관 외관— 항상 긴 줄이 이어졌다.

인 날에는 3만 8,800명이라는 기록적인 방문객을 맞이할 수 있었다.

한편 캐나다관도 물론 인기가 있었다. 언제나 2, 3시간이나 대기해야 하는 상황이었다. 하지만 줄의 전진속도가 이상하게 늦었다. 가봤더니 놀랍게도, 100명 정원인 프레쇼(pre-show)와 메인 극장을 1시간에 2회전시키고 있을 뿐이었다.

영상의 내용은 정말 능숙했지만, 국제박람회에 이런 관객 수용력은 말도 안 된다. 이런 플랜이 어떻게 통과되었는지……. 나는 그때 단순히 그렇게 생각했고, 솔직히 '이겼다'고 생각했다.

결국 더이상 참을 수 없어서, 나는 캐나다관의 스태프에게 말을 걸었다. "이 수용력으로 어떻게 정부가 OK했는가?"

"실은 곤란해 하고 있다"는 대답이 되돌아올 것이라 예상하고 있었다. 하지만, 나의 예상과 달리 그는 자랑스러운 듯 이렇게 말했던 것이다.

일본관 내부 ― 공연에 빠져든 만원의 관람객

　관람객 한 사람 한 사람과 밀도 높은 커뮤니케이션을 도모한다. 그것을 위해서는 집객수가 떨어지는 것은 어쩔 수 없다. 그것이 캐나다 정부의 방침이다. 아무리 방문객 수가 많아도 메시지가 전해지지 않으면 의미가 없다. 모두 계획대로다.

　전혀 예상하지 못한 대답이었다. 어떤 플래너도, 얼마나 많은 관객에게 어필할까를 고민하는 것이 당연하다고 생각하고 있었기 때문이다. 쇼크였다. 그 때 나는 단순하게 '동원력 넘버원'을 기뻐하고 있었던 것이다.

　게다가 캐나다관의 관객 수용력을 떨어뜨리고 있던 요인이 또 하나 있었다. 귀중한 면적의 1/3을 사무관리 구역으로 할애하고 있었을 뿐만 아니라, 그 안에 훌륭하게 내장(內裝)한 리셉션 룸을 마련해 VIP나 각국 관계자를 불러 매일 파티를 개최하고 있었던 것이다.

　캐나다의 그 스태프는 이어서 이렇게 말했다.

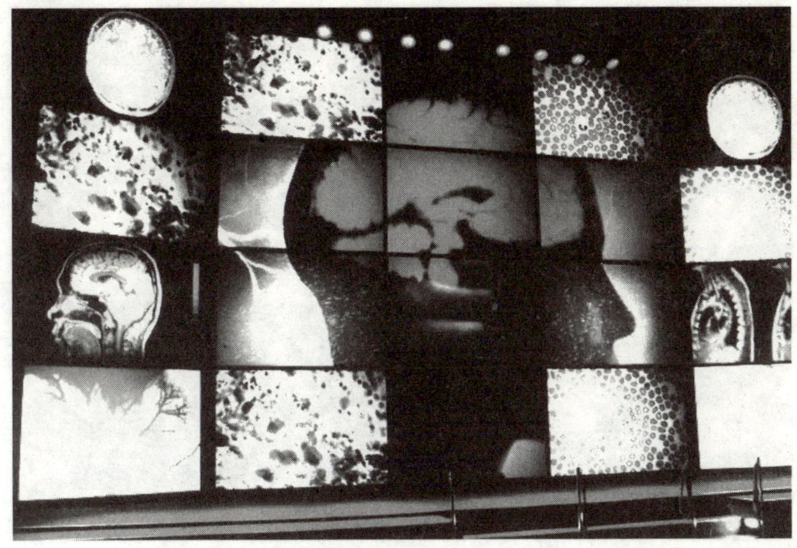

일본관 전시 — 기술의 미래가 프레젠테이션된다.

　　일반 방문객도 물론 중요하지만, 우리가 상대해야 할 대상은 그들만이 아니다. 국제박람회는 둘도 없는 민간 외교의 자리이다. 캐나다의 문화를 오피니언 리더(opinion leader)에게 체험시켜주는 좋은 기회이니까, 본국에서 솜씨가 뛰어난 요리사를 데리고 왔다.

　　나는 뒤통수를 맞았다. 당시의 나에게는 이런 발상은 없었고, 국비로 요리사를 데려오는 것 등은 상상조차 할 수 없었다. 주위에서 논의되고 있었던 것도, '그 때의 일본관은 총 방문객의 몇 %를 흡수하는 인기관(人氣館)이었다'든지, '그 때는 일인당 비용이 얼마로 끝나 효율이 좋았다'라는 등의 것뿐이었기 때문에, 어떻게 하여 집객력이 있는 전시를 만드는가밖에 생각하지 않았었다.

　　물론 어느 쪽이 옳았는가는 단순하게 평가할 수 없다. 일본관을 방문한 240만 명 속에는 확실히 출입확인 스탬프를 찍을 목적으로 달려나가

일본관 전시 — 도공 로봇이 한·일 교류역사를 이야기한다.

는 초등학생도 포함되어는 있지만, 캐나다와는 엉청난 차이의 관람객이 일본의 메시지에 접한 것 또한 사실이다. 어느 쪽에도 장단점이 있다.

하지만 적어도, 이때까지 나는 '수와 밀도'에 대해서 진지하게 생각했던 적이 없었다. 당연한 것을 모르고 있었다.

전시라는 형식 속에서, 집객력을 유지하면서도 정보를 제공하는 사람과 수용하는 사람의 밀도 높은 교류를 실현하기 위해 어떻게 하면 좋을지 생각하기 시작한 것은 이때부터였다.

전시의 인터랙티브성이란 무엇인가?

정보를 제공하는 사람과 수용하는 사람 사이의 교류 밀도란 즉 인터랙티비티(interactivity)를 말한다.

전시라는 형식 속에서 어떻게 이러한 쌍방향성을 높일 수 있을까?

대전 박람회 이후로 그것은 나에게 있어 큰 테마의 하나가 되었다. 그리고 실제로 그 후의 일 속에서 여러 가지 시도를 거듭해왔고, 지금도 그것은 계속되고 있다.

전시는 원래 대량의 관람객에게 정보를 제공하는 데 적합한 수단이다. 한번 만들어놓으면 기본적으로 같은 상태, 동일한 효과를 언제까지나 유지할 수 있기 때문이다. 그 점이 살아있는 인간의 몸에 의한 라이브 퍼포먼스와 결정적으로 다르다. 이 점에서 실로 효율이 좋다. 대량 동원을 꾀하는 이벤트에 박람회 전시이벤트가 많은 것은 이 의미에서 매우 합리적이기 때문이다.

하지만 대량으로 그리고 효율적으로 정보를 전달할 수 있다는 이 장점이, 전시에 있어 최대의 약점이기도 하다. 불특정 다수에게 정보를 일정 수준의 질로 계속해서 안정공급할 수 있다는 특성은, 다른 관점에서 보면 상대적으로 관람객 한 사람 한 사람에게 대한 쌍방향성의 저하를 의미하기 때문이다. 앞에서도 서술했지만, 가장 쌍방향성이 높은 커뮤니케이션은 '마주 앉음' 즉 1 대 1의 라이브 커뮤니케이션이다.

관람객과의 인터랙티브성이라는 점에 관해서 전시는 라이브 퍼포먼스와 비교할 수도 없는 것이다.

이벤트를 만드는 사람은 모두 그것을 알고 있기 때문에, 전시의 쌍방향성을 향상시키려고 온갖 고민을 해왔다. 어떻게든 관람객과의 '교류'를 실현할 수 있는지 그 방법을 생각해왔다.

그러나 유감스럽게도, 지금까지 등장한 방법은 모두 큰 성과를 올리지 못했다. 그 전형적인 사례가 이른바 '참가형 전시'라는 것이다.

"관람객이 버튼을 누르면 무엇인가가 빛나거나 움직이거나 한다", "준비된 여러 개의 영상 스토리의 선택지를 보고 손님의 다수결로 어떤 것인가를 결정한다”, “관람객들이 ‘버튼을 빨리 누르는’ 장치로 저축한 ‘에너지’로 영상 속의 ‘적(敵)’을 이긴다”……. 싫증이 날 정도로 반복되어온 전시기획의 전형적인 예이다.

이벤트계는 지금까지, 이러한 유치한 장치를 염치없이 ‘참가형’이라고 칭해봤다. 관람객이 ‘스위치를 누르는’ 것을 ‘참가’의 증거로 간주하고 만족해봤다. 하지만, 이미 이와 같은 속임수는 통하지 않는다. 만일 해보았자 웃음을 살 뿐이다.

참가란 버튼을 누르는 것만이 아니다. 정보를 제공하는 사람과 수용하는 사람 사이에 무언가 관계성이 생기는 것, 말하자면 심리적인 ‘대화’가 일어나는 것이 이벤트에 있어서의 참가이며 교류일 것이다. ‘다수결’이나 ‘빨리 누르기 경쟁’으로 관람객의 정신과 교류하는 것이 가능할 리 없다.

단순히 ‘보는’ 것만이 아니고 자신과의 관계 속에서 ‘생각하게’ 되는 것, ‘스스로의 감성으로 인식’하거나 ‘자신에의 의미를 발견’하거나 하는 것. 그리고 마지막에 ‘납득하는’ 것. 주는 사람과 받는 사람의 심리적인 만남이 전시에 있어서의 교류이고, 이벤트의 사명일 것이다.

요점은 ‘축제 존’이나 ‘액팅 에어리어’와 같다고 생각하면 좋은 것이다. ‘관람객’과 ‘공연자’의 울타리를 할 수 있는 한 없애버린다. 그리고 양쪽의 일체감과 공기의 공유을 이끌어낸다.

1998년에 리스본에서 개최된 국제박람회의 일본관 프로듀스를 맡게 되었을 때, 나름대로 ‘참가형’ 전시를 구축해보려고 생각했다.

정보 인스톨레이션(installation) — 리스본박람회 일본관에서의 시도

‘버튼을 누르는’ 것이 아니라, 관람객 한 사람 한 사람이 각각의 방식

리스본 국제박람회 — 바다에 인접한 아름다운 행사장

으로 심리적인 반응을 나타낼 수 있는 구조를 만들고 싶었고, 정보 제공자가 패키지화된 정보를 일방적으로 송달하는 것이 아니라, 관람객 자신이 스스로의 감성으로 정보를 접하게 하고 싶었다.

잠시 생각하다가 '교과서와 반대로 하면 된다'고 생각했다.

교과서는 '지식'을 '체계적으로' 습득시키기 위한 도구로 만들어진다. 내용에는 반드시 '이해하는 방법'이 한 가지로 정해져 있어서, 단원(單元) 마다 배우는 '순서'가 엄격하게 프로그램되어 있다. 정해진 대로 나가면 마지막에 체계적인 지식의 습득에 도달한다고 하는 구조이다. 아마 그것이 '논리적인 지식 체계의 전달'에는 가장 합리적인 방법이다.

그러다 보니, 지금까지의 전시도 이것과 같은 체계로 만들어져왔다. 사전에 구축한 형식에 따라 전시 시나리오가 만들어져 전시의 구성과 순서를 설정한다. 각각의 전시 코너에서는 '여기서 말하고 싶은 것'이나

일본관— 파빌리온 인기 순위 1위에 올랐다.

'알면 좋은 것'이 분명하게 정해져 있어서, 지나가는 관람객이 놓치지 않고 제대로 관람하도록 정보를 정리해놓는다. 정확히 계단을 하나씩 올라가듯이, 혹은 제1장부터 책을 읽어나가듯이, 제공자가 '말하고 싶은 것'을 순서대로 흡수해가면, 마지막에는 체계적인 이해에 도달할 수 있다는 형식이다.

하지만 이러한 '교과서형' 스타일은 '학습'에는 최적이지만, '대화'의 형식은 아니다. 교과서는 처음부터 대화를 목적으로 하고 있지도 않은데다, 정보가 일방적으로 전달되는 것만으로는 대화가 성립되지 않는다. 원래 교과서는 '논리'이지만, 이벤트의 목적은 '시즐'을 전하는 것이다.

과감히 지금까지의 발상과는 다른 방식으로 하자. 기획을 시작하기 전에 그렇게 마음먹었다.

또 하나 생각했던 것은, 공간 전체를 사용하자고 하는 것이었다. 온몸을 감싸는 환경을 만들어, 가능한 한 피부로 느끼는 구조로 한다. 어쨌든

생활 속의 바다 — 정보가 층을 이뤄 쌓인다.

이벤트는 본래 머리에서의 논리적인 이해보다 피부 감각에서의 체감에 맞는 미디어이고, 말보다는 공간이, 논리보다는 체험이 힘을 가지는 정보 환경이다.

그러나 최근의 박람회 전시이벤트를 보고 있으면, 이 특성이 잘 살려지지 않고 있다고 느끼는 일이 자주 있다. 정보나 메시지를 '체험을 통해 피부 감각에 호소하는' 일을 포기해버리고 '머리로 이해시키는' 것을 전제로 하고 있는 것이 많다.

상품 카탈로그를 확대 카피한 것 같은 패널이 줄서 있는 상품전시회 부스나, 학습 교재 비디오와 같은 영상 전시 등, '이것 정도라면 팸플릿을 받는 것과 다를 것 없다', '집에서 비디오를 보는 것과 다를 것 없다'고 느껴지는 것이 적지 않다. 만약 그렇다면 실제로이 팸플릿이나 비디오를 배포하는 편이 합리적이고 효과적이다. 그러한 '교재형'은 이제 그만두어야 한다고 생각했다.

교과서의 형식과 반대로 한다. 힘껏 공간을 사용한다.

이 두 가지가 실현될 수 있으면, 이벤트가 힘을 발휘하는 조건이 되는 '공간성', '체감성', '인터랙티브성'의 세 가지 조건을 구비할 수 있고, '다수의 관람객'과의 '밀도 높은 교류'에 다가설 수 있다고 생각했다. 그리고 일본관의 프로듀스 컨셉을 '정보 인스톨레이션'*이라고 이름지었다.

예를 들어 '생활 속의 바다'를 테마로 한 전시실에서는 일본인의 일상생활과 바다의 관계를 나타내는 다양한 정보 소재를 공간 전체에, 문자 그대로 '대롱대롱 매달리게' 했다.

벽면이나 천정을 이미지로 메우는 그래픽, 사계절의 표정을 비추는 모니터 튜브, 바다에 관련되는 전통문화를 보여주는 수많은 전시물, 공간 전체를 커버하는 여러 가지 환경조형…….

무수한 전시 요소가 하나씩 순서대로 등장하는 것이 아니다. 방문객은 이것들을 한번에, 게다가 무작위로 랜덤(random)하게 본다. 몇 개의 이미지가 겹쳐져, 공간에 '있는' 사람을 감싼다. 관람 순서나 보는 방법의 지시는 없다.

이 전시실에서는 일본의 자연이나 풍토, 그곳에 사는 일본인의 다채로운 일상과 그 표정, 현대에 살아숨쉬는 전통이나 문화 등, 바다와의 관계 속에서 전개되는 일본인의 다양하고 특별한 행위와 그 환경을 있는 그대로 전하는 것이 목적이었다.

'이것이 일본인입니다'라는 연판을 어필하는 것은 하고 싶지 않았다. 방문객 한 사람 한 사람이, 그 사람 나름대로의 감성으로 받아들여준다면 좋다고 생각했다.

그리고 '개척지로서의 바다'를 테마로 한 전시실에서는 큐브 모양의

---

* 화랑이나 미술관의 한 코너의 벽이나 마루에 조각이나 오브제로 설치하거나 혹은 영상을 벽에 투사하고 소리를 흘리는 등, 그 공간 전체를 하나의 작품으로 만들어놓은 전시 방법.

개척지로서의 바다 1 ― 기술을 전하는 '빛과 소리의 영상시'

조형으로 공간 전체를 다 메워, 이것을 스크린 대신에 방문객을 감싸는 영상환경을 만들었다. 100대의 프로젝터와 100대의 연출 조명, 입체감 있게 두 개의 영상을 동시에 비추는 더블 스크린, 멀티 채널의 입체 음향……. 철저하게 표현 매체를 중첩시켜 체감 공간으로서의 전시 환경을 만들려고 했다.

이 특수한 환경 속에서, 일본인의 생활을 지탱하는 자연환경을 종축으로, 그리고 그곳을 무대로 개발이 진행되는 첨단기술을 횡축으로 하여, 일본의 해양 관련 기술을 사람·자연·기술이 구성하는 드라마로 그리려고 생각했다. 기술의 소개가 목적이었던 것이지만, 일부러 나레이션에 의한 해설을 일절 배제해 '빛과 소리의 영상시(詩)'가 마음에 사무치도록 설계했다.

불과 13분의 작품 속에, 4,000컷이 넘는 정지화면과 90분에 이르는 동영상을 담은 문자 그대로의 '멀티 이미지'. 모든 것을 보는 것은 처음

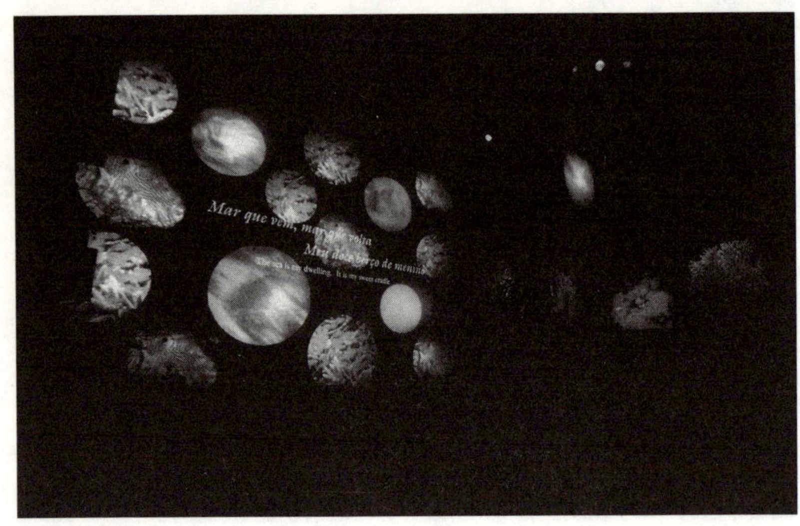

개척지로서의 바다 2

부터 불가능하다. 관람객은 '무엇을 볼까'를 스스로 취사선택할 것을 재촉당하기 때문에, 텔레비전을 볼 때처럼 수동적인 자세로는 있을 수 없다. 이 공간은 볼 때마다 다른 표정을 보여주고, 보는 사람에게 계속적으로 새로운 발견을 제공했다.

이벤트는 체감환경을 활용한 대화의 장

내가 목표로 한 것은, 공간 전체에 정보를 뿌리고, 정보 그 자체로 구성된 전시 공간을 만드는 것이었다.

다양한 정보를 몇 겹이나 더하고 그것을 그대로 공중에 매단다. 관람객은 한번에 많은 이미지를 만난다. 그러나 결코 어떻게 보도록 강요하는 것은 없다.

길로서의 바다 — 일본과 포르투갈의 역사를 이야기한다. 박람회 종료 후 고도 신토라에 이설되었다.

관람객 자신을 둘러싼 환경 속에서, 그들은 스스로의 의지로, 혹은 무의식적으로 정보를 취사선택하고, 자신 나름대로의 이야기나 이미지를 구축한다.

정보를 제공하는 사람이 일방적으로 '연설'하는 종래의 구조를 바꾸고 싶었고, 눈앞에 펼쳐지는 프레젠테이션에 대해서 수용하는 사람이 심리적으로 '응답'하는 관계를 만들고 싶었다.

제공하는 사람은 화제를 제공하는 것만으로 좋다. 반(半)만 담당하면 되는 것이다. 나머지 반은 관람객 손에 맡긴다. 그러면 대화의 요지가 생긴다고 생각했다.

다행스럽게도, 일본관은 행사장 내에서 최고의 인기관이 되어, 170만 명의 방문객을 맞이할 수 있었다. 현지의 유력지 ≪디아리오(*Diario de Noticias*)≫가 발표한 인기 파빌리온 BEST 10에서 1위로 거명되거나, 전시물을 박람회 종료 후에도 남겨달라고 담당 장관으로부터 직접 요청받기도 했다.

하지만 내가 무엇보다도 기뻤던 것은, 재관람률이 특이할 정도로 높았던 것이다. 박람회에서 같은 파빌리온에 두 번 가는 경우는 거의 없다. 누구라도 더 많은 파빌리온을 보고 싶어하기 때문이다.

하지만 출구 조사에 의하면 이 일본관에서는 방문 횟수가 2회째 이상인 사람이 무려 23%에 달하고 있었다. 전대미문의 숫자이다. 다시 한 번 보기 위해서, 그들은 더운 날씨에도 2시간이나 기다려주었던 것이다. 정말로 기뻤다.

일방적인 연설을 듣는 것만이라면 1회로 충분하다. 이 숫자는 처음에 내걸었던 컨셉이 잘못되지 않았다는 것, 그리고 그 목적을 달성할 수 있었던 증거라고 생각한다.

이제 이벤트는 일방적인 주장의 자리도, 순진한 기술 PR의 자리도 아니다. 체감 환경으로서의 특성을 살린 대화의 자리이다.

호주에서의 사건

리스본의 일본관에서 '일본인의 삶을 있는 그대로 전하고 싶다', '연판을 강조하는 것은 그만두자'고 생각한 것이 일시적인 착상은 아니다. 나는 지금까지 국제박람회의 일본관 일을 5회 경험하고 있지만, 처음부터 일관되게 그렇게 생각해봤다. 이 컨셉이 흔들렸던 적은 없고, 아마 앞으로도 바뀔 것은 없을 것이다.

국제박람회에 정부가 출전(出展)한다는 것은, 즉, 해외에서 '일본이라는 나라'를 알리는 것이다. 기본적으로는 기업의 광고와 같고, '나는 이런 사람입니다', '나의 이 부분이 뛰어납니다', '나에게는 이런 매력이 있습니다'라는 메시지를 어필하는 것이 그 역할이다. 그러니까 솔직히 말한다면 '힘껏 예쁘게 화장을 하고 가장 자신있는 포즈로 등장하는' 것이 좋다. 실제로 해외 홍보의 대부분이 이 노선이다.

그렇지만, 나는 그것을 하고 싶지 않았다. 분명히 말하면 '짙은 화장'이나 '억지웃음'은 그만두고, '본모습'을 보여야 한다고 생각하고 있다.

생각해보면 박람회에만 한정된 것이 아니라, 전시회든 쇼룸이든, 현상의 디스플레이의 상당수는 순진하고 낙천적인 PR로 시종일관하고 있다. 프레젠테이션 제공자 측의 동기가 스스로의 정당성이나 우위성을 어필하는 것에 있으니 이것이 당연하다고 하면 당연한 것이지만, 도가 지나치면 홍이 깨진다. 모두가 겨루듯이 좋은 모습을 보이고 있다는 구도를 마지못해 보고 있는 관람객은, 이전처럼 순진하지도 않고 너그럽지도 않다.

하지만 내가 본모습을 보여야 한다고 느끼고 있는 것은 그것 때문만이 아니다. 이벤트의 일을 시작한 지 얼마 안 된 무렵, 우연히 들었던 어떤 말이 아직도 귀에서 멀어지지 않기 때문이다. 그 말은 지금도 내 마음 속에 무겁게 머물고 있다. 지금부터 수십 년 전 호주에서의 사건이었다.

종합건설회사로부터 이 분야에 발을 내딛은 지 아직 얼마 되지 않았던 1986년, 처음으로 해외에 출장을 가게 되었다. 1988년에 호주의 브리스벤에서 개최되는 국제박람회의 일본관의 프로듀스를 우리 사무소가 담당하고 있었는데, 출전계획의 검토에 빠뜨릴 수 없는 기초적인 데이터를 수집할 필요가 있었기 때문이었다. 그렇게 어려운 일은 아니기 때문에 심부름꾼이었던 내가 가게 되었던 것이다.

EXPO 행사장 공사의 진척이나 현지의 시공 사정을 조사하는 것, 건물의 상세한 도면을 입수하여 박람회 공사 사이드와 조건을 확인하는 것 등의 형식적인 일이 주된 목적이었던 것이지만, 또 하나 완전히 별개의 숙제가 있었다. 그것은 일본이나 일본인에 대한 현지의 인식이나 이미지를 조사하는 것이었다.

문헌이나 조사 자료 등의 '데이터로서의 정보'가 아니고, '살아있는' 뉘앙스를 피부로 느끼지 않으면 실감나지 않기 때문에, 브리스벤에서부터 차례로 주요 도시를 남하(南下)하면서 많은 호주 사람과 일본인에게 이야기를 듣고 다녔다.

내가 쇼크를 받은 것은, 그 중의 한 사람이 잡담 속에서 마음 편하게 이야기해준 내용이다. 호주사람인 그는 이렇게 말했다.

당신도 봐서 알 것이라고 생각하지만, 호주에서는 엘렉트로닉스 제품을 비롯하여 카메라나 자동차 등 우수한 일본 제품이 흘러넘치고 있다. 우리는 그것들을 애용하고 있고 신뢰하고 있다. 제품의 품질을 보면, 일본인이 높은 지성과 자제심을 갖추고 있는 것은 분명하다. 그렇지 않다면, 이만큼 고도의 기술 수준에 도달할 리가 없다.

그런데 골드코스트에서 만난 실제의 일본인은, 그것과는 완전히 반대였다. 단체로 관광버스를 타고 해변에 도착하면, 가죽 구두를 신은 채로 정신없이 흩어져서 사진을 찍고 10분만에 파도 같이 떠나간다. 우리의 상식으로 말하면, 리조트지에서의 그러한 행동은 '교양없는 행동'이라고 밖에 말할 수 없다. 아무래도 '지성과 자제심'이 있는 사람들의 행동은 아니다.

즉 이해가 안 되는 것이다. '교양없는 사람들'과 '고도의 기술 수준'이 아무래도 머릿속에서 연결되지 않는다. 그래서 솔직히 말해 일본인은 '징그럽다.'

아연실색한 것은 마지막 한 마디였다. '싫다'면 차라리 괜찮았다. 대처 방법이 있기 때문이다. 하지만 '징그럽다'는 느낌에는 대책이 없다. '징그럽다'는 것은 이해 불가능이라고 배제해버린다라는 것이기 때문이고, 그 말의 뒤에는 '관계하고 싶지 않다'는 심정이 보일 듯 말 듯하고 있다.

이 상황에 잔재주로는 대항할 수가 없다. 있는 그대로의 일본인을 보일 수밖에 없다. 그러면 실은 우리들도 아무것도 다르지 않다는 것을 이해시킬 수 있을 것이다.

이 호주에서의 경험이 이후의 나의 입장을 결정하게 되었다. 할 수 있는 한 '일본인의 본모습'을 전한다. 그것은 당시에도 지금도 전혀 변함이 없다.

본모습을 보여준다

누구라도 멋지게 보여주고 싶고 존경을 받고 싶어한다. 주목도 받고 싶고 호감도 주었으면 하고 생각한다. 해외에서 일본을 홍보할 때도 물론 같은 것을 생각한다. 따라서 때때로 연판에 빠져버린다.

'자연과 기술이 공존하는 나라'＝웅대한 후지산(富士山)을 배경으로 신칸센이 달리는, '기술개발의 첨단을 달리는 나라'＝클린 룸에서의 반도체 생산, '높은 문화성을 갖춘 국민'＝태평스런 다과회의 긴장감…….

그리고 마지막은 '기술력과 정신성'이나 '신비적인 이국정취'라는 일본의 특수성을 강조하는 시나리오로 진행해나간다.

이러한 스토리가 가져오는 것은 말할 필요도 없이 '이상한 나라 일본'이라는 이미지의 증폭이다. 이것으로는 '징그럽다'는 인상을 한층 더 가속시킬 뿐이다.

짙은 화장으로 본모습을 숨긴 채로 신뢰를 얻기는 어렵다. 제공하는 사람의 논리를 강요하는 것만으로는 대화가 생기지 않고, 심리적인 대화가 없으면 공감을 얻을 수 없다. 결국 '정보를 제공하는 사람과 수용하는 사람의 울타리를 없애고, 양자의 심리적인 교류를 실현한다'고 하는 이벤트의 기본 명제로 되돌아올 수밖에 없는 것이다.

'본모습을 보여주는 것', 그것도 '관람객'과 '공연자'의 울타리를 없애는 방법의 하나이다.

그렇다고는 해도, 실제로 플랜을 구축하는 것은 그렇게 간단하지가 않다. 국제박람회에 대한 정부 출전이라는 미션 자체가 반드시 단순명쾌한 것이 아니기 때문이다.

가장 먼저, 박람회 그 자체에 테마가 있다. 국제박람회라는 것은 '인류 공통의 과제에 대해서 국경을 넘어 이야기를 주고받는 자리'이기 때문에, 개최 테마를 출전계획의 근간에 설치하지 않으면 안 된다. 테마를 어떻게 해석하여, 어떠한 방향으로 접근할 것인지를 확정하는 것이 출발점이 된다.

한편, 출전국으로서의 입장이나 주장을 제대로 포함시키는 것이 필요하다. 그렇지 않으면 출전하는 의미가 없다. 아무리 본모습을 보인다고 해도, 입다물고만 있어서는 아무도 상대해주지 않는다. 대화인 이상, 화제를 제공해야 한다. 상대방 역시 메시지를 기다리고 있기 때문이다.

게다가 그러한 관람객들의 기대가 있다. 어느 나라에서 개최되더라도 일본관에 대한 기대는 예외없이 크다. 대체로 첨단기술에 대한 기대거나 동양적인 이국정취에 대한 동경이거나 하겠지만, 그것이 무엇이든 그 기대를 완전히 무시할 수는 없다. 이쪽이 무시하면 당연히 상대방도 무시할 것이다.

세 개의 요건 중 어느 것이 빠져도 실패이다. 게다가 각각의 벡터(vector)는 반드시 같은 방향을 향하고 있다고는 할 수 없다. 좁은 길을 나아갈 수밖에 없다.

그런데도 세 개의 벡터가 명확하게 보인다면, 그것을 묶는 방법도 상상할 수 있다. 하지만 실제로는, 개최 테마는 해석의 방법이 다양해서 출전의 이념이나 방향으로 분명한 해석은 없고, 현지의 기대도 결코 단순하지 않다.

결국은 복잡하게 뒤얽힌 퍼즐처럼 되어 계획자를 혼란하게 만든다.

그래서 플랜이 완성되었을 때의 성취감은 더욱 크다. 그렇지만 그것만으로는 아직 안심할 수 없다. 현지인들이 받아들일지 어떤지는 해보지 않으면 알 수 없기 때문이다.

개막의 날, 나는 언제나 기대와 불안, 자신감과 걱정이 뒤섞인 이상하게 고양된 정신 상태로 방문객을 기다린다. 가슴을 펴고 싶기도 하고 당장 도망가고 싶기도 한 긴장감으로 두근거린다.

이벤트는 모두 마찬가지지만, 특히 일본관의 일에는 독특한 매력과 묘미가 있다. 몇 번을 해도 재미있다.

이벤트는 수용자간 커뮤니케이션 매개체

우리는 이벤트가 커뮤니케이션을 위한 미디어라고 되풀이하여 말해왔다. 누구와 누구의 커뮤니케이션인가 하면 말할 필요도 없이 정보를 '제공하는 사람'과 '수용하는 사람'이다. 양자간에 즐거운 나눔을 실현시키는 것이 이벤트의 첫째 목적이고, 지금까지 이야기해온 것도 기본적으로 정보를 제공하는 사람과 수용하는 사람의 관계에 대해서였다.

하지만 실은 이벤트로 가능한 일은 그뿐만이 아니다. 이벤트는 정보를 수용하는 사람끼리의 커뮤니케이션을 중개하는 것도 잘 한다.

우연히 같은 이벤트에 참가한 사람끼리 이벤트에서의 공동체험을 매개로 대화를 시작한다. 혹은 반대로 관객을 맞이하는 관계자들끼리 이벤트를 준비하는 과정 속에서 새로운 관계를 쌓아나간다. 이러한 것 역시 이벤트라는 미디어가 가지는 뛰어난 기능의 하나다.

먼저 학교 발표회의 예를 들어서 "이벤트는 제작자끼리의 상호이해와 연대감을 키운다"고 말했지만 그 최대의 요인이 이것이다. 이벤트는 제작자끼리의 커뮤니케이션을 촉진하고 어떤 때는 그것을 강제하기도 한다. 그러니까 이벤트는 '상대방과의 상호관계 속에서 자기 자신도 바꾸어가는' 기능을 수행할 수 있는 것이다.

또 한편으로 이벤트는 참가자 사이의 대화도 유발한다. 같은 메시지를 함께 받아들이고 있기 때문에 이미 공통의 화제를 가지게 되고 체험을 공유하고 있기 때문에 일체감이 형성되어가고 있는 것이다.

이것들은 모두 다른 미디어에는 없는 특성이고 이벤트를 생각할 때 잊어서는 안 되는 포인트이다.

내가 그렇게 생각하게 된 것은 이 업계에 들어온 지 얼마 되지 않은 무렵에 담당했던 어느 작은 박람회에서의 사건이 계기가 되었다. 수십 년 전의 그 박람회에서 나는 처음으로 서브 프로듀서로서 박람회 전체 진행·관리를 보좌하는 역할과, 주최자 관련 파빌리온을 통괄하는 역할을 맡았다.

그 안에 주최자가 만드는 '테마관'과 현(縣, 지자체)과 농림업 단체가 공동 출전하는 '농림업관'이라는 두 개의 파빌리온이 있었는데, 그 일을 통해 나는 두 가지 대조적인 경험을 하게 되었다.

'음식(食)과 초록(草綠)'을 테마로 내건 박람회였기 때문에 테마관은 식생활 문화를 중심으로 전개하기로 정해져 있었다. 그래서 전시의 도입 부분은 지역 식문화의 변천을 돌아보는 것으로 하고 그 한 코너에 고장의 전통적인 '이로리 난로'* 자리를 실제 크기로 재현하는 계획을 세웠다. 안쪽의 장지 문종이에 그림자를 비추어 식문화를 모티프(motif)로 한 향토의 옛날이야기를 할머니가 들려준다고 하는 연출이었다.

그 지방의 난로는 'ㄷ자형'으로 한 변이 토방과 접하고 있다. 정면 안쪽에 주인이 혼자 앉고 양측에 가족이 줄지어 앉는데 그 좌석 순에는 엄격한 서열이 정해져 있었다. 부엌이 있는 토방 쪽에는 엉덩이가 겨우 닿

---

* 일본 특유의 난로인 이로리(Irori)는 농가 등에서 마룻바닥을 사각형으로 파내고 방한용·취사용으로 불을 피우는 장치.

을 정도로 허술하게 걸터앉는 의자가 하나 동떨어져 놓여 있다. 그것이
'며느리의 자리'였다.

박람회가 개막된 이후 어느 날, 여느 때와 같이 관내에서 관객의 반응
을 보고 있었는데 어느 한 노인이 어린 여자아이의 손을 잡고 난로 앞으
로 다가왔다. 난로 앞에 멈춰 서서 잠깐 주시한 채로 움직이지 않더니,
잠시 후 천천히 이야기를 하기 시작했다.

할아버지가 너 만할 때에 살던 곳은 이런 집이었다. 큰 집이었기 때문에
겨울은 추웠고 밤은 무서웠다. 나의 할아버지가 제일 어른이셨고 앉는 자리도
이런 식으로 모두 정해져 있었다. 가족들이 많이 있어서 나의 엄마는 언제나
바쁘게 일하고 있었기 때문에 밥도 함께 먹을 수 없었고 엄마의 자리는 여기
였기 때문에 위에 오를 수 없었다.

이윽고 어릴 적의 추억 이야기가 이어지고 여자아이도 재미있게 듣고

있었다. 이 장면을 우연히 목격한 나는 진심으로 감격했다. 자신이 만든 것이 세대를 넘은 대화를 꺼내게 한 것에 놀랐고 기뻐서 어쩔 줄 몰랐다. 이것에 비교하면 의도한 메시지가 올바르게 전해졌는지 어떠했는지 등은 이미 중요한 문제가 아니었다.

이벤트가 참가자들의 상호 커뮤니케이션의 촉매가 된다는 확실한 사실은 나에게 있어 신선한 놀라움이었고 이벤트에 대한 견해를 크게 바꾸어주었다. 그리고 무엇보다 그 때 처음으로 나 자신의 일에 자부심을 느낄 수가 있었다.

상대방에게 작용함과 동시에 자기 스스로에게도 영향을 미친다

반면에 농림업관에서는 정반대로 이벤트가 '제작자끼리'의 커뮤니케이션을 키운다는 것을 배웠다. 이 전시관은 불과 $300m^2$도 안 되는 작은 파빌리온이었지만 현(縣)과 농림업 단체가 비용을 절반씩 부담하고 건설하게 되었다.

참가하는 관계자가 전원 모인 최초의 회의에서 갑자기 나는 당황했다. 그것은 하나의 현(縣) 내에 농업단체가 14개, 임업 단체가 6개, 도합 20개의 단체가 있었기 때문이다. 불과 $300m^2$의 파빌리온 기획회의일 뿐인데 회의참석자는 수십 명에 달했다.

더욱 놀랐던 것은 그 자리에서 서로 처음 보는 사람들이 많아서 도처에서 명함을 교환하고 있었던 것이다. 그다지 크지 않은 현의, 게다가 같은 업계의 단체들이었기 때문에 당연히 나 말고는 모두 아는 사이일 것이라 생각하고 있었다. 그런데 나중에 이야기를 들어보니 "농(農)과 임(林)이 같은 테이블에 앉아 논의할 기회가 흔히 있는 것도 아니고, 더구나 모든 단체가 한 자리에 모이는 일은 거의 전례가 없었다"고 하는 것이었다.

회의를 진행시켜나가는 과정에서 행정기관과 생산자 사이는 물론이고 같은 생산자 사이에서도 입장이나 이해가 미묘하게 다르다는 것을 서서히 알게 되었다. 고작 전시 해설 문장을 어떻게 정할 것인가 정도의 이야기인데도 의견이 좀처럼 수렴되지 않았다.

생각해보면 당연한 일이었다. 예를 들어 "미래를 향해 이 현의 농림업은 어떠한 방향을 목표로 해야 할 것인가?" "바이오 테크놀로지를 어떻게 평가할 것인가?"라는 내용을 "우리 현(縣)의 농업은……"이라는 주어로 말하는 것이니, 비록 한 장의 패널(panel)이라도 당사자에게 있어서는 큰 의미를 가지게 되는 것이다.

기획회의는 몇 회에 걸쳐 열렸다. 처음에는 각각 자기의 주장을 하는 데 그쳤지만, 회를 거듭하는 동안에 점점 각자의 입장을 솔직하게 설명하는 쪽으로 바뀌어갔다. 어쨌든 시한이 정해져 있기 때문에 언제까지나 결정을 미룰 수는 없는 것이고 "계속해서 검토합시다"는 말로 끝날 수는 없기 때문이다.

"거기까지는 어떻게든 양보할 수 있지만 이것만큼은 받아들일 수 없다", "그 표현은 조금 곤란하다. 왜냐하면……", "이 관점을 더해준다면 그 컨셉을 받아들일 수 있다……."

조정하는 데 시간과 에너지가 상당히 걸렸지만 마지막에는 모두가 합의하는 플랜을 만들 수가 있었다. 이벤트란 그런 것이다. 개막 일정을 연기할 수는 없으므로 결국에는 하나로 정리되지 않을 수 없기 때문이다.

무엇보다 '전시하는 것에 관한 정도'였기 때문에 진심으로 논의를 진행할 수 있었다고도 말할 수 있다. 회의의 목적은 어디까지나 '전시 내용의 검토'이며 '농업정책의 합의 형성'은 아니기 때문에 누구나 말 그대로 '격의 없이' 발언할 수가 있었다. 그러니까 각각의 입장이나 주장을 격의 없이 표현할 수가 있었던 것이며 상대방의 사정도 알게 되었던 것이다.

무사히 개막식을 치른 후에 뒤쪽 자리에서 나는 회의에 참가했던 각각의 구성원들로부터 감사의 말을 들었다. 행정기관의 담당자는 "이만큼 많은 관계자가 하나의 테마를 논의한 적이 없었기 때문에 매우 좋은 경험이 되었다. 그들의 진심을 물을 수 있어서 공부도 되었다. 앞으로의 행정기관업무에 참고할 생각이다"라고 말했고, 한편 업계 단체의 사람은 "좀처럼 본심을 말해주지 않는 행정기관의 생각이나 입장을 잘 알았다. 무엇보다 알 듯하면서도 실은 몰랐던 동업자의 입장과 차이를 잘 알게 되어 재미있었다"고 말해 웃었다.

이 이벤트는 서로 '소탈하게' 논의할 수 있었다고 하는 점에서 매우 귀중한 기회가 되었다. 잊어서는 안 되는 것은 이 이벤트가 현 내의 관계자를 한 자리에 거의 '강제로' 동원했다고 하는 사실이다. 일상의 교제 범위를 넘어 새롭게 '얼굴을 맞대는(face to face)' 관계를 만들어내는 계기가 되었다. 그리고 실제로 "모처럼 이만큼의 인원이 모였으니까 이 네트워크를 박람회 후에도 유지하자"라고 관계자들 스스로가 말하기 시작했던 것이다.

솔직히 말하면 당시의 나는 간단하게 꾸밀 수도 있는 작은 파빌리온 제작에 왜 이렇게까지 비효율적인 방법을 써야 하는지 이해할 수 없었다. 전시를 완성시키는 것만이라면 저런 번거로운 프로세스를 밟을 필요는 없다. 다른 방식으로 했다면 아마 1/5의 노력으로 같은 것을 만들 수 있었을 것이다.

나중에 알았지만 고생이 따르는 것을 알고 있으면서도 굳이 모든 단체를 끌어들였던 것은 물론 '현 차원에서 거행하는 박람회'라는 대의명분도 있었지만 실은 그 기회에 현 내 단체들간의 교류를 촉진하고자 하는 계획이 있었던 것 같다.

모든 것이 끝난 후 당시의 현 지사가 나직이 중얼거렸던 것이 생각난다.

내가 이 박람회에서 정말로 하고 싶었던 것은 '사람 만들기'랍니다.

하나의 이벤트가 발단이 되어 다양한 커뮤니케이션이 생기고 그것이 차례차례로 파급된다. 이벤트에는 그러한 힘이 내포되어 있다는 것을 나는 이때 처음으로 알게 되었다.

그 이후로 이벤트를 만들 때는 메시지를 '전달하는 사람'과 '수용하는 사람' 사이의 즐거움만을 나누는 것이 아니라 참가자 상호간 혹은 주최자들간의 다양한 교류를 촉진할 수 없을까 항상 생각하게 되었다.

이벤트는 관계를 중첩시킨다.

하나의 이벤트 속에 관계가 많이 포함될수록 이벤트의 효과는 복합적이 되어 보다 고차원(高次元)적인 기능을 수행할 수가 있다.

이벤트를 전략적으로 생각한다는 것의 의미와 그 재미를 이때 배울 수 있었다.

시민의 문화활동을 목표로 한 '창조 홀(creation hall)'의 시도

'농림업관'이 지역에서 사람들간의 새로운 네트워크를 만들 수 있었던 것은 결코 우연한 일이 아니다. 많은 시간과 에너지를 필요로 하는 것을 각오로 일부러 그것을 노리는 방법을 선택했기 때문이다. 그렇게 되도록 프로세스가 프로그램되고 있었다고 말해도 괜찮을 것 같다. 결실을 가져온 것은 '결과'가 아니고 '프로세스'였다.

그때까지 '무엇을 만들까(what)'밖에 생각하지 않았던 나는, 이벤트에 있어 그와 같은 정도로, 아니 그 이상으로 '어떻게 만들까(how)'가 중요하다는 것을 알았다. 외형의 매력을 결정하는 것은 what이지만, 무형의 효과를 남길 수 있을지 여부는 how로 결정된다는 것을 알았다.

기업의 판촉 이벤트처럼 집객력이나 정보발신력이 결정적인 의미를 가지는 경우에 중요시해야 할 것은 what이지만, 적어도 행정기관 이벤트는 지역에 대한 무형의 효과를 기대하며 실시하는 것으로, 눈으로 보이는 결과보다 오히려 프로세스가 중요하다.

'농림업관'으로부터 10년 가까이 지난 1996년, 사가(佐賀)에서 '세계 불의 박람회'라는, '도자기'를 키워드로 한 박람회에 도움을 주게 되었다. 메인 행사장인 아리타(有田)와 서브 행사장인 요시노촌(吉野ヶ里)에 '도자기'를 다양한 각도에서 다루어 몇 개의 주최자측 전시관을 건설했었는데, 그 중의 하나로 '창조 홀'이라는 이름의 색다른 파빌리온을 만들었다.

이 전시관은 '도자기와 관계되는 시민문화활동의 정보발신 거점을 만들고 싶다'고 하는 사가현(佐賀縣)의 의향을 반영시킨 것으로, '시민문화활동'을 주역으로 한 새로운 스타일의 파빌리온이었다.

약 1,000m^{2}의 관내는 '커뮤니케이션 플라자'라고 이름 지어진 중앙의 다목적 스페이스를 둘러싸고, 스테이지, 전시 갤러리, 다실 등이 배치되어 있었다. 중앙의 광장에는 아무것도 놓지 않고, 그 아무것도 없는 공간을 교류의 무대로 삼았다. 그로부터 4년 전인 축제박람회에서 시도한 '활동공간(acting area)'과 같은 발상이었다.

실은 이전부터 '전시관'과 '이벤트 스테이지'라는 기존의 패턴을 해체시켜 양자를 융합시킨 새로운 타입의 파빌리온을 생각하고 있었다.

어떤 때는 공간 전체를 사용해서 전시를 하고, 어떤 때는 광장까지 스테이지가 튀어나와 라이브 극장으로 사용된다. 또한 어떤 때는 전시와 라이브 연출을 조합한 복합 프로그램의 행사장이 된다.

복합적인 시설 기능이 혼연일체(混然一體)가 되어, 프로그램에 따라 공간 그 자체가 변환자재(變幻自在)된다고 하는 이미지였다. 실제로 이 창조홀에서는, 다기능 공간을 잘 활용해서 도자기를 둘러싼 다양한 영역의 창조적인 성과가 연일 연출됐다.

이벤트는 유연한 조직관계를 조성한다

도자기와 관계되는 창작 활동이 도예, 다도, 꽃꽂이뿐만 아니다. 테이블 코디네이터, 요리, 인형 등에서부터 패션이나 악기에 이르기까지, 관계되는 영역이 생각 외로 넓다. 창조홀에서는 시민문화단체 회원들의 도움을 받아, 거의 매일 새롭고 다채로운 프로그램이 전개되었다.

화도(華道: 꽃꽂이) 14유파(流派)가 같은 테마로 겨루는 꽃꽂이전, 우라 센케(裏千家)*와 '차(茶)와 꽃 연구회'의 합작에 의한 다석(茶席), 사주사(司厨士)**협회·조리사회·소우게츠류(草月流)*** 공동의 '빙기(氷器)와 화과(花果)'전, 우라 센케(裏千家) 당주(當主)의 솜씨 피로(披露), 세계 테이블 세팅전, 도자기를 소재로 한 패션쇼…….

87일의 행사기간 중, 전시나 부대행사의 종류가 47, 참가 단체 109, 제작·운영에 참가한 시민의 수는 총 8,000명에 달했다. 교과서적으로 말하면 '시민의 주체적인 활동을 유발하고, 그것을 측면에서 지원할 기회를 마련했다'고 할 수 있지만, 실은 또 하나의 목적이 있었다.

'참가자끼리의 교류', 그리고 '유연한 조직관계의 형성'이다. 일상의 틀을 넘어 사람과 사람 사이의 새로운 네트워크를 양성하고 새로운 대화와 교류의 장을 연다. 8년 전에 경험한 것을 재현하고 싶었다.

다행스럽게도 문화단체와 현지 요업(窯業)계 양쪽으로부터 협력을 받을 수 있었다. 복수의 단체에 의한 공동 프로그램이나, 고장의 도자기와

---

* 센노리큐(千利休)를 시조로 하는 다도(茶道)의 유파의 하나. 일본의 대표적인 다도 유파.
** 조리사 자격이 있는 요리사.
*** 꽃꽂이 유파 중의 하나. 1927년 테시가와라 소후(勅使河原蒼風)에 의해 창설된 일본의 대표적인 꽃꽂이 유파.

의 합작이 수없이 많이 실현되었다. 말하자면 '교류를 위한 인프라' 속에 도자기 세계의 주민들을 끌어들일 수 있었다. 인프라가 제공됨으로써 기존의 종적관계를 넘은 커뮤니케이션이 실현되었다. '농림업관'과 같은 구조이다.

이 시도는 타업종 교류의 시민판, 문화판과 같은 것이다. 실제로 많은 만남이 있었다고 들었다. 박람회가 끝난 지 7년째가 된다. 슬슬 성과가 나타나는 무렵일 것이다. 기대가 된다.

이벤트는 제작자(주최자)측에 '유연한 조직관계'의 형성을 촉진시킬 수 있다. 유연한 조직관계라는 것은 일상업무로 형성되는 자본관계·제휴관계·거래관계·주종관계·계약관계라는 '하드(hard)한' 관계와는 달리, 조직간의 보다 자유롭고 원만한 관계인 것이다.

일상의 틀을 넘은 원만한 인간 관계와 조직 관계. 이벤트가 이것을 양성할 수 있는 것은 입장이 다른 사람들이 같은 목표를 향해 행동을 함께 하는 가운데, 자연스럽게 밀도 높은 커뮤니케이션이 형성되기 때문이다. 이 특성을 잘 살려 활용한다면, 이벤트는 새로운 인적 네트워크 구축의 무기가 된다.

지역 조직간의 유연한 관계성은 지역에 있어 앞으로 더욱 더 중요해질 것이다. 지역 내의 다양한 조직군의 '격의 없는 교류'나 '목표의 공유'가 지역의 자립적인 발전에 빠뜨릴 수 없는 요건이 되기 때문이다.

이것이야말로 이벤트가 가장 효과적으로 힘을 발휘할 수 있는 사안으로, 활용하지 않으면 손해다.

제4장 이벤트는 지역을 바꾼다

'지역간 경쟁 시대'가 시작되었다

'지방자치 시대'가 열린 지는 오래됐지만, 이제야 비로소 그렇게 될 것 같은 분위기다. 지역 정책을 국가가 통제하는 것은 더 이상 합리성이 없다고 논의되고 있어 지방 분권으로 가는 흐름은 향후 더욱 가속될 전망이다.

실제, 도쿄도(東京都)의 이시하라(石原) 지사를 비롯하여 미에현의 키타가와(北川) 지사, 미야기현(宮城縣)의 아사노(淺野) 지사, 돗토리현(鳥取縣)의 카타야마(片山) 지사 등, 강력한 단체장이 차례로 등장해, 명쾌한 컨셉이 담긴 독자적인 시책을 차례차례 밝히게 되었다. 아마 같은 상황이 점점 시읍면 단위에서도 나타나게 될 것이다. 당초는 말로 밖에 들리지 않았던 '지역의 시대'가 드디어 실감나게 느껴지게 되었다. 지금은 새로운 승부가 펼쳐지기 시작한 시점이다.

'지역의 시대'란 즉 '지역간 경쟁 시대'와 다름없다. 물론 경쟁은 이전부터 있었지만, 앞으로의 경쟁이라는 것은 지금까지와는 다를 것이다. '어떻게 하면 성공하는가를 아무도 가르쳐주지 않게 되었기' 때문이다.

지금까지의 지역 진흥책은 상위의 관공서가 제도를 만들어, 사업의 구조로부터 구체적인 진행방식까지 하나하나 자상하게 가르쳐주는 것이었다. 테크노폴리스도 리조트도, 이벤트마저도 그랬다.

국가-현-시읍면이라는 단계적 계층을 따라, 기획력이 뛰어난 상위의 사람이 '해야 할 일'을 생각해 '모델'을 만들어 하위의 사람을 '지도' 한다. 지도를 받는 측은 제시된 메뉴 중에서 자신에게 맞는 것을 선택해, "예!"라고 활기차게 손을 들면 된다. 그러면 주어진 틀에서 벗어나지 않는 한, 보조금 혜택을 받을 수가 있었고, 지역에 임팩트를 가져오는 프로젝트를 실현할 수 있었다.

하지만 이제는 그것을 기대할 수 없다. 지금까지와 마찬가지로 위에서 무언가 기다리고 있는 것만으로는 안 되게 되었다. 어떻게 하면 성공하는지 아무도 가르쳐 주지 않는다. '메뉴로부터 선택하는 것'이 아니고 '스스로 만드는 것'이다. 지역이 스스로 컨셉을 만들어 자립적인 전략을 준비해야 할 엄한 시대가 되었다.

지금부터는 가치나 매력을 스스로 만들어가는 지역만이 발전하고, 시대의 요청에 응할 수 없으면 뒤처진다. 마치 기업과 같다. 흔히 언급되듯이, 지역은 '관리'의 대상에서 '경영'의 대상이 되었다. 실제로 많은 지역이 존립기반의 강화와 경쟁력 향상을 목표로 해, 스스로를 변화시키기 위해 몸부림치고 있다.

도시나 지역에 있어서 독자적인 아이덴티티와 그 우위성을 획득하기 위한 자립적이고 전략적인 행동이 불가결하게 되었지만, 그 대처방안의 상당수는 그다지 좋은 성과를 올리지 못하고 있다.

예를 들어 '컨벤션 도시'의 구상 사례를 보자. 라스베가스, 플로리다, 시카고, 하노버, 밀라노, 베를린, 싱가포르, 두바이, 상하이……. 세계를 바라보면, 컨벤션으로 성공한 도시가 산더미같이 많이 있다.

같은 식으로 도시를 활성화시키고자 하는 계획에서 일본에서도 전국 각지에 훌륭한 전시장이나 회의장이 만들어졌다. '컨벤션 도시 선언'도

유행했다. 하지만 현실은 시설을 유지하는 것만으로도 빠듯했고, 도시적인 스케일의 경쟁력을 획득하고 있다고는 말하기 어렵다. 유감스럽게도 거대 전시장은 절호의 '구조물' 비판거리가 되었다.

그러므로 '구조물만으로는 바뀌지 않는다. 역시 소프트웨어가 중요하다'고 말을 하지만, 아무리 소프트웨어가 중요하다고 해도 '이념을 내걸어 필요성을 어필'하거나 '제도를 만들어 계몽에 노력'하는 등의 시도만으로 실효가 있는 것은 아니다. 역시 지역에 그러한 분위기를 조성할 수 있는 현실적인 프로젝트, 말하자면 '출발점'이 될 수 있는 무언가가 필요하다. 로켓을 우주로 쏘아올릴 때 일정한 초기 속도가 필요한 것과 같이 지역을 바꾸기 위해서는 눈으로 보이는 점프대가 필요하다. 형식적인 산물이 아닌, 움직임의 발단이 되는 프로젝트. 이벤트는 바야흐로 거기에 안성맞춤인 방법인 것이다.

전술한 것처럼, 이벤트는 '얼굴을 보인다', '몸으로 익힌다'고 하는 두 가지의 효과를 낳는 힘을 갖추고 있다. 이 성능을 살릴 수만 있다면, 이벤트는 지역을 바꾸는 촉매가 될 수가 있다.

'얼굴을 보인다' 그리고 '몸으로 익힌다'

지역을 바꾸고 싶다면 '어떻게 바꾸고 싶은 것인지'하는 컨셉이 필요한 것은 물론이고 이에 더해 '새로운 지역상(像)'을 지역 외부에 어필해야 하고, 무엇보다도 지역의 구성원이 그런 기분을 느끼게 하는 것이 필요하다. 즉 미래를 향한 전략적인 대처방안을 성공시키기 위해서는 '얼굴을 보이는' 것과 '몸으로 외우는' 일이 불가피하다.

또한 밖을 향해 '얼굴을 보여야 한다'는 것은 말할 필요도 없다. 모든 진흥책은 지역 밖의 관계 속에서 성립되고 있다. 역내에서 '스스로 완결하는 진흥책'이나 '자급자족의 번영'은 없다. '미래의 자기 자신'의 어필은 매우 중요하다.

지역의 아이덴티티를 널리 사회에 어필하는 방법으로서 이벤트는 매우 우수한 수단이다. 이벤트가 거듭되는 홍보 효과를 가져오기 때문이다.

이벤트에 발길을 옮긴 방문객은 문자 그대로 온몸으로 그 지역을 느끼기 때문에, 만약 진지하게 독자적인 방안을 추진하고 있다면, 그것은 확실히 참가자의 오감에 도달된다. 게다가 그곳에서의 경험에 만족감을 느낄수록, 그 평판은 소문으로 착실하게 퍼져간다. 게다가 이벤트는 대중적(publicity)으로 다루어지기 쉽기 때문에, 매스미디어를 타고 강력한 정보 발신력을 손에 넣을 가능성도 높다. 대외적인 홍보 수단으로서 이벤트는 포스터나 팸플릿과는 차원이 다른 기능을 발휘한다.

한편으로는 새롭게 내건 지역 컨셉을 지역내부의 사람들이 공유하는 계기가 되는 장치가 필요하다. 아무리 뛰어난 컨셉을 제시해도 지역주민이 그것을 우리들의 문제라고 생각하지 않으면 지역이 바뀔 수가 없다. 역시 '지역이 나갈 방향'이나 '그 안에서 자신이 할 수 있는 것'을 피부로 느낄 기회가 제공되어야 한다. 이것이 '몸으로 익힌다'고 하는 것이다.

이제부터는 행정기관 혼자서 깃발을 흔드는 것만으로는 지역이 바뀌지 않는다. 옛날에 성행했던 공장유치와 같은 '낙하산형' 진흥이 아닌 자립적인 진흥을 목표로 한다면, '행정기관과 시민이 각각의 입장에서 각각의 역할'을 다하는 기운과 구조를 양성하는 것이 필요하다. 그것을 위해서는 가장 먼저, 새로운 지역의 이미지를 시민이 이해해야 하고, '스스로의 지역은 우리들 손으로 만든다'는 참가 의식을 빠뜨려서는 안 된다.

그러한 구조를 마련하기 위해서는 역시 무언가 계기가 필요하다. '설교'만으로는 그렇게 되지 않고, 갑자기 '실행'하는 것으로도 어렵다.

'지역 사람들이 업종이나 입장을 넘어 행동을 같이 하는 가운데, 공통의 인식이 자라나는 활동을 쌓아가는 수밖에 없다. 구호만으로는 아무도 움직이지 않는다. 확실히 이벤트가 등장해야 할 때다.

이벤트는 지역에 '공동체험'의 기회를 만드는 최선의 수단이다.

아시아에 가장 가까운 도시 후쿠오카

'지금 가장 활기찬 도시는 어딘가?' 그렇게 질문받는다면 나는 주저하지 않고 '후쿠오카'라고 대답한다.

버블경제 붕괴로 주요 도시가 어디나 기운이 없는 상황 속에서 '후쿠오카 돔', '시호크호텔 & 리조트', '캬널시티 하카타', '하카타 리바레인' 등의 대규모 프로젝트를 차례차례로 성공시켜, 1995년의 '유니버시아드', 1997년의 '아시아개발은행 총회', 2001년의 '세계 수영' 등 국제 수준의 이벤트를 계속해서 개최했다. 다른 도시에는 없는 기세가 있다.

후쿠오카는 프로야구와 J리그(프로 축구 리그) 팀을 다 가졌고 명문 재즈 클럽 '블루 노트'가 있으며, '극단 사계(四季)'의 뮤지컬 전용 극장이 있다. 월드 클래스의 일류 아티스트도 순회하고, 스모(일본 씨름)나 가부키(일본 전통 예능)도 볼 수 있다. 휴먼 스케일의 시가지 안에 도쿄와 비교해도 거의 손색이 없는 문화가 있으며, 자동차로 30분쯤 달리면 골프장에 도착한다. 거대도시는 아니지만 균형이 잡혀 있다. 몇 년 전에는 홍콩의 주간지 '아시아 위크'에서 아시아의 주요 40도시 중 '최상의 도시(best city)'로 선정되었다.

최근 10년간 분명히 후쿠오카는 변화됐다. 후쿠오카에는 변화를 낳는 원동력이 된 하나의 키워드가 있다. 그것이 '아시아'이다.

'아시아에 가장 가까운 도시', '아시아의 교류 거점 도시', '아시아의 게이트웨이'……, 후쿠오카의 팸플릿을 보면 어느 것이나 아시아 일색이다. 이 키워드를 후쿠오카가 얼마나 소중히 하고 있는지를 잘 알 수 있다. 실제로 후쿠오카라고 하면 지금은 누구나가 아시아를 연상할 것이다. '아시아 태평양의 현관'이라는 이미지는 벌써 전국적인 것이 되었다. 대륙에 가깝다고 하는 지리적 조건도 크지만 물론 그것만은 아니다. 동일한 정도의 조건을 가지는 도시라면 그밖에 얼마든지 있다. 하지만 후쿠오카만은 특별하다.

그리고 실제로 후쿠오카의 '아시아를 향한 열정'은 대단하다. 처음 하카타에 도착한 사람이 우선 놀라게 되는 것은 역 구내의 표시가 모두 4개국어로 되어 있는 것일 것이다. 일본어, 영어 외에도 중국어와 한국어가 추가되어 있다. 최근에는 다른 도시에서도 볼 수 있게 되었지만, 후쿠오카는 이미 10년 전부터 그랬다.

이것만 봐도 생활 속에 아시아가 침투하고 있는 것을 알 수 있다. 실제로 후쿠오카에서는 외국인 등록자가 인구의 1%를 차지하고 있고 그중의 10% 이상을 유학생이 차지하고 있지만, 그들의 90%는 아시아인이다. 매년 9월에는, '아시아를 깊이 아는 30일간'이라는 테마로 하는 대규모 복합 이벤트 '아시아 먼스(Asia Month)'가 시내 각처에서 열린다. 12회째를 맞이한 2001년에는 74개의 사업이 실시되고 총 78만 명이 참가했다.

'아시아 먼스'의 핵심 사업에는 아시아 각국에서 초청된 음악가가 공동 출연하는 오프닝 이벤트 '아시아 프렌들리 콘서트', 아시아 각국의 작품을 소개하는 영화제 '아시아 포커스 후쿠오카 영화제', 각국의 아티스트가 퍼포먼스를 펼쳐 각지의 맛이 포장마차처럼 늘어선 '아시아 태평양 페스티벌', 학술연구나 예술문화의 뛰어난 업적에 대해서 주어지는 '후쿠오카 아시아 문화상', 시민에 의한 교류의 무대 '아시아 교류제' 등, 영향력 있는 프로그램이 가득하다. 총사업비도 8억 엔에 달한다.

아시아를 특화한 이 정도의 이벤트는 다른 예가 없다. 게다가 매년 계속하고, 12회나 계속되고 있으니까 상당한 것이다. 후쿠오카가 아시아를

아시아 먼스 — 아시아를 테마로 한 일본 최대의 이벤트

중시할 자세를 안팎으로 표명하는 CI 전략의 일환으로서 이 이벤트를 기간 시책이라고 평가하고 있는 것은 분명하다.

실시 보고서의 첫 페이지 '인사말'에는 이렇게 쓰여져 있다.

아시아 먼스는 1989년의 '아시아 태평양 박람회'에서 길러진 우정과 교류의 고리를 한층 더 강화하려는 목적으로 다음 해인 1990년에 시작되었습니다.

모든 것은 이 박람회로부터 시작됐다.

계기는 '아시아 태평양'을 테마로 한 박람회

1988년과 1989년은 일본의 이벤트업계에 있어 특별한 해였다. 시제(市制) 100년을 맞이한 전국의 주요 도시가 경쟁하듯 중심사업으로써 지방박람회를 개최했기 때문이고, 이 1988, 1989년은 박람회가 연간 15개나 개최되는 등, 흔치 않은 상황이 일어났다. 그리고 후쿠오카도 그 중의 하나였다.

그러한 지방박람회는 대동소이했는데, 1,600만 명을 모아 대성공을

아시아 태평양 박람회 — 도시 정체성 확립의 스위치를 눌렀다.

거두어 지역 이벤트의 교과서가 된 고베의 포토피어(1981년)를 본보기로
했고, 대부분은 츠쿠바(筑波)의 과학 만국박람회(1985년)의 여운이 남는
시기에 구상된 것이다. 따라서 대부분 포토피어 스타일의, 말하자면 '미
니 만국박람회'였고, 테마나 캐치프레이즈에는 '꿈'이나 '미래'라는 말
이 넘치고 있었다. 하지만 후쿠오카만은 달랐다.

　물론 후쿠오카도 처음에는 미니 만국박람회를 생각했던 것 같다. 일
의 발단은 '후쿠오카에서도 국제박람회를 열 수 있는가'를 검토하기 시
작한 것이지만, 다국간 조약에 근거하는 정식 국제박람회는 국가사업인
데다 실현시키기에는 준비도 시간도 부족했다. 그래서 국제박람회에 준
한 지방박람회를 개최하기로 결정한 것이다. 따라서 그 무렵은 '(가칭)후
쿠오카 국제박람회'라고 불리고 있었고, 기획도 그림을 그린 듯 확실한
미니 만국박람회였다.

　하지만 기본 구상을 굳힐 단계가 되어서, 후쿠오카는 크게 방향을 바
꾸었다. '국제'를 버리고 '아시아 태평양'을 특화했던 것이다.

아시아 태평양 박람회 행사장 풍경 1 — 아시아 태평양의 공기로 넘치고 있었다.

후쿠오카가 도쿄(東京)나 오사카와 겨루기 위해서는 둘째로는 안 된다. 이곳만이 가진 도시 고유의 아이덴티티가 필요하다. 그 키워드가 되는 것은 역사적으로나, 지리적으로나, 아시아밖에 없었을 것이다. 그렇게 생각한 끝에 과감히 궤도를 수정했던 것이다.

당시는 '국제화'가 행정기관 시책의 기둥으로서 주목받고 있었던 시기였기 때문에, 물론 반대도 있었던 것 같다. 이제부터 확실히 국제화를 진행시키려 할 때, 특정 지역에 편향(偏向)한 테마는 문제가 있다는 것이다. 하지만 후쿠오카는 구상대로 프로젝트를 진행시키기로 결정했다.

'얼굴이 보이는' 교류가 진행된다

아시아가 주역인 박람회이므로 당연히 준비과정에서 아시아 태평양의

아시아 태평양 박람회 행사장 풍경 2

국가들과 여러 가지 교류가 시작되었다.

　박람회에의 참가나 전시물의 출품, 행사출연이나 먹거리판에의 협력, 학술로부터 예능에 이르기까지 각종 정보 제공이나 인재 소개 등, 폭넓은 분야에서 주최자측과 상대국과의 직접교섭이 진행되어갔다. 즉 '얼굴이 보이는' 교류 채널이 자연스러운 형태로 양성되어갔다.

　실제로 박람회의 담당자는 출전 교섭이나 행사의 출연 교섭 등을 위해 아시아 태평양의 각지를 방문했다. 남태평양의 바누아트(Vanuatu)나 키리바티(Kiribati) 공화국, 서사모아(Western Samoa) 등지까지 나갔다.

　그 중에서도 남태평양의 크고 작은 섬들로 이루어진 국가들에서는 어디서나 대환영을 받았던 것 같다. 당연했다. 평소 주목받는 것이 적은 작은 나라에 멀리 일본에서부터 찾아와 박람회 참가를 요청했기 때문이다.

　박람회는 잘 모르지만, 아무래도 우리를 일본에 소개해주는 것 같다. 현지

각국에서 온 참가자들 — 인적 네트워크가 확대되어간다.

젊은이를 스태프로 일본에 보내, 여러 가지 공부를 시킬 수 있을 것 같다……

내용이 무엇이든 그들에게 있어서는 환영할 만한 이야기였을 것이다. 대통령에 상응하는 수장이 직접 환영 연회를 마련해준 적도 있었다고 한다. 그들의 머릿속에 '후쿠오카'란 이름이 강렬하게 각인되었던 것은 틀림없다.

개막이 가까워오면 상호왕래는 보다 빈번하게 된다. 서로의 정보 교류 밀도는 날로 높아지고, 저절로 친밀감도 높아진다. '얼굴이 보이는' 교류는 사람과 사람 사이의 네트워크를 만들어, 무형의 유산이 되어 남는다. 후쿠오카는 큰 재산을 손에 넣고 있었다.

풀뿌리 운동이 시작되었다

한편 프로젝트의 진행은 시민측에도 변화를 가져오기 시작했다. 테마가 명쾌하고 알기 쉬웠기 때문인지, 준비가 진행되는 동안에 시민들 사이에 참가 의식이 싹트기 시작했던 것이다.

아무래도 아시아 태평양의 사람들이 많이 와주는 것 같다고 생각하고 '적어도 현지어로 인사 정도는 해야지', '아이들을 홈스테이 시켜주자',

'자원 봉사로 할 수 있는 것을 돕자'고 하는 의식들이 높아지고 있었다.

실제로 그러한 시민의 풀뿌리 운동은 착실하게 주변으로 확대되어갔고 박람회가 열린 1989년에는 '아시아 태평양 어린이 회의, 인(in) 후쿠오카'라는 민간 레벨의 국제 교류 사업이 창설되었다. 이것은 아시아 태평양의 나라들로부터 어린이들을 불러, 호스트 패밀리가 되는 집에서 생활을 함께 하면서 서로 다른 문화를 접하고자 하는 것으로, 이 해에 1,000명이 넘는 아시아 어린이들이 후쿠오카에 왔다. 어린이를 받아들이는 호스트 패밀리는 매월 1회 '아시아 태평양 학교'라는 스터디 그룹에 참가해, 아시아의 문화를 배웠다.

이 사업은 지금도 계속되고 있어 시민 주체의 교류사업으로서 높은 평가를 받고 있다. 현재는 후쿠오카의 아이를 해외에 파견하거나 학교나 지역을 광범위하게 참여시켜 사업을 전개하는 등 새로운 프로그램을 추가하면서, 사업을 확장해가고 있다. 운영은 거의 시민의 자원 봉사로 이루어지고 있으며 그 수는 1,000명을 넘는다.

유산을 살려 아시아의 관문도시(gateway city)로

이러한 경험의 축적은 조용한 그러나 착실한 효과가 나타난다. '아시아 먼스'로 메시지를 명쾌하게 프레젠테이션하고, '아시아 태평양 어린이 회의'를 통해서 내면으로부터 의식을 바꾸어간다. 확실히 CI의 수법 그 자체이다.

아시아 태평양 박람회를 계기로 시민은 아시아와 후쿠오카의 관계를 자신들의 문제로 생각하기 시작했다. 시민 한 사람 한 사람에게는 아시아에 대한 환대 의식이 양성되어갔고, 행정기관 쪽에서 아시아 태평양 국가들과의 사이에 눈으로 보이는 교류 경로가 생겼다.

박람회 자체도 성황이었다. 823만 명에 달한 방문객수도 그렇지만, 외국관이 10관, 해외로부터 참가한 나라 혹은 지역이 37개에 달했던 것은 지방박람회로서는 이례적인 일이었다.

박람회 종료 후, 후쿠오카는 적극적으로 이 유산을 살리는 길을 선택했다. 모처럼 생겼던 흐름을 가속시켜, 일본에 있어서 아시아 태평양의 현관으로서의 포지션을 단번에 획득하려 했던 것이다.

앞에서 말한 '아시아 먼스'를 비롯하여 '아시아 태평양 도시 서미트', '동아시아 재계인 포럼' 등의 이벤트를 차례차례로 개최하고, 행사장이 된 하카타 만(灣)의 매립지 '시사이드 모모치(Seaside 百道)'에는 아시아 태평양 센터를 건설, 중국과 한국의 총영사관도 생겼다. 원래는 6,000호의 주택과 3개의 초등학교, 2개의 중학교를 지을 계획이었던 '시사이드 모모치'는 박람회를 계기로 그 모습을 크게 바꾸었다.

1999년에는 일본에서 유일하게 아시아의 근·현대 미술을 취급하는 미술관 '후쿠오카 아시아 미술관'을 오픈시켰다. 그밖에도 많은 아시아 관련 시책을 펴고 있다.

이렇게 되면 상황은 좋은 방향으로 변화되기 시작한다. 예를 들어 1990년에는 8,000명 정도이었던 외국인 등록자가 2000년에는 약 두 배인 1만 5,000명으로 증가했고, 마찬가지로 유학생은 600명에서 세 배에 가까운 1,700명으로 증가했다. 인구가 증가하면 영사관 등도 생겨난다. 현재 후쿠오카에는 32개의 외국 공관이 있지만, 그 중 40%를 차지하는 13개관이 아시아 국가들이다. 주목할 만한 것은 그 중 1988년 이전에 생겼던 것이 6개관에 지나지 않았던 데 비해, 박람회가 있던 1989년 이후로 7개관이 증가했다는 것이다. 게다가 2001년 5월에 개설된 네팔 이외는 모두, 박람회 직후인 1989년부터 1992년 사이에 만들어졌다.

사람뿐만이 아니라, 물론 문화도 유입된다. 지금은 아시아 문화의 상당수가 우선 먼저 후쿠오카로 들어간다. 도쿄는 그 후이다. 후쿠오카를 경유해서 도쿄에 소개되는 것들도 적지 않다.

후쿠오카는 '창업자 이익(기득권)'을 손에 넣었다. 이런 일은 먼저 시작한 사람의 승리다. 다른 도시가 이제 와서 이 키워드를 사용할 수는 없다. 이 10년간의 움직임의 출발점이 된 것은 틀림없이 '아시아 태평양 박람회'라는 이벤트였다.

후쿠오카시의 홍보잡지 ≪홍도(鴻都, vol.37)≫의 기사 안에 이런 글이 있다.

1989년에 하카타 만의 광대한 매립지, 시사이드 모모치에서 열린 '아시아 태평양 박람회'가 후쿠오카 발전의 계기가 되었다.

지금에 와서 수십 년 전의 이벤트 등은 모두 잊혀져가고 있다. 하지만 상관없다. 씨앗을 뿌린 것만으로도 이벤트는 제대로 책임을 다했던 것이다.

지역을 변화시키는 데 필요한 것은 무엇인가

이 사례는, 이제부터의 지역 진흥에 있어서 중요한 것이 무엇인지를 가르쳐주고 있다. 가장 먼저, 시민과 행정기관이 지역 고유의 이미지(아이덴티티)를 공유할 수 있어야 한다는 것이다. 후쿠오카의 사례에서는 이벤트를 만들어내는 프로세스 속에서, 지역의 미래상을 함께 이야기하는 토대가 양성되어갔다. '아시아로의 게이트웨이'라는 컨셉을 따라, 시민과 행정기관이 같은 방향을 향해 달릴 수 있었다. 이것이 앞으로의 지역 진흥의 필요조건이다. 그리고 무엇보다 지역 아이덴티티의 자각은 시민에게 자부심을 안겨준다.

두번째로, 이벤트가 시민의 자발적인 움직임에 의해 궤도에 오른다는 것이다. 당초부터 행정기관측에 전략이 있었더라도 모든 것이 미리 프로 그램되어 있던 것은 아니었다. 바꾸어 말하면 기존의 정책을 기계적으로 소화한 것이 아니고, 상황을 보면서 융통성 있게 대응했던 것이 성공을 이끌어냈다는 것이다.

세번째로, 테마나 이미지가 먼저 만들어지고, 건물 등의 형식적인 것 이나 제도는 나중에 따라왔다는 것이다. 형식이나 제도가 먼저 만들어지 고 나중에 그 운용방법에 대해 고민했던 종래의 스타일과는 정반대의 프로세스였다. 단적으로 말하면 아무런 토대도 없이 갑자기 아시아 미술 관이나 '아시아 먼스'를 가져온다고 해도, 무용지물이 될 수 있을 뿐이 라는 것이다.

전술한 것처럼, 이제부터의 지역 만들기는 '행정기관과 시민이 각각 의 입장에서 각각의 역할을 완수'하지 않고는 성과를 올릴 수 없다. 누 군가가 그린 시나리오를 묵묵히 소화해낸다고 하는 발상은 이미 통용되 지 않는다. 유연하고 기동성이 있는 태세를 지역에 뿌리내리게 하는 방 안이 필요하다.

게다가 자립적인 변혁을 위해서는 행정기관 시책과 시민의 행동이 서 로 유연한 관계로 맺어져 맞물려돌아가는 톱니바퀴와 같이 상호보완적 인 역할을 다하는 것을 필요로 하게 된다.

이벤트는 지역이 이러한 구조를 획득하는 계기를 얻기 위한 가장 합 리적인 수단이다. 지역이 스스로 미래상을 구상하고 독자적인 전략을 구 축해야 할 시대가 된 지금, 이벤트의 역할은 더욱 더 중요하게 되었다.

도시 자체를 쇼룸(showroom)화하다 ─ 밴쿠버(Vancouver)

후쿠오카의 경우는 이벤트를 계기로 도시가 아이덴티티를 획득해갔던 사례지만, 좀 더 하드한 부분에서 도시의 구조변혁에 기여한 이벤트도 있다. 전형적인 사례가 1986년에 캐나다의 밴쿠버에서 열린 '국제 교통 박람회'이다.

캐나다 제3의 도시권을 형성하는 밴쿠버 시는 북미의 서해안 최대 규모의 항만 도시로서 번창해왔다. 그러나 자원의 수출에 의지하는 것만으로는 머지않아 쇠퇴해가는 길을 피할 수 없다고 생각한 브리티시 콜롬비아(British Columbia) 주정부는 밴쿠버 시를 '물류의 거점'으로부터 '컨벤션 도시'로 전환시키려고 생각했다.

워터 프런트(Water Front, 임해지구)의 재개발이나 컨벤션센터의 건립과 신교통 시스템의 정비라는 핵심 프로젝트를 축으로 하여 새로이 도시 기능을 강화할 계획을 수립했다. 그러나 무엇보다 그러한 재개발 계획의 비장의 카드로서 국제박람회를 생각해냈다는 점이 특이하다.

아무리 관광이나 컨벤션에 적당한 성격과 기능을 몸에 익혔다고 해도 그것을 국제사회에서 제대로 인정받지 못하면 실제 효과는 얻지 못한다. 그래서 '재생된 워터 프런트와 그곳에서 태어난 새로운 도시 기능을 프레젠테이션하는 가장 효과적인 수단은 무엇인가?'에 대해 생각한 끝에 선택한 것이 국제박람회였다.

국제박람회를 통해 '새로운 밴쿠버'를 전세계에 알리려 했던 것이다. 당연히 재개발 계획지가 메인 행사장으로 지정되었다. 행사장으로 지정된 포르스 크리크 지구는 밴쿠버의 시가지에서 그리 멀지 않은 부두와 창고 등이 늘어선 워터 프런트로, 노후화되고 황폐한 상태였지만 대대적인 재개발을 통해 다시 태어나도록 계획되어 있었다.

동시에 계획되어 쌍둥이처럼 태어난 재개발과 박람회의 실질적인 주최자는 브리티시 컬럼비아 주이기 때문에 2개의 사업은 완전히 동시에 진행되었다.

교통박람회의 기본 구상에 착수했던 것이 1978년. 다음 해인 1979년

'국제 교통박람회' 제1행사장 — 워터 프런트 재개발과 박람회 프로젝트가 일체적으로 추진되었다.

에 BIE(박람회 국제사무국)에 개최를 신청하고, 1980년에 승인을 받았다. 한편, 같은 해인 1980년에 재개발 사업의 추진 모체로서 '브리티시 컬럼비아 프레이스 공사'를 설립하여 구체적인 계획안 책정에 착수했으며, 1981년에는 박람회의 사업주체인 'EXPO 공사'를 설립하여 박람회 프로젝트를 본격적으로 실행하기 시작해 다음 해인 1982년에는 재개발 계획의 사업 시안을 마련했다.

다시 태어난 도시의 매력을 효과적으로 어필하려면 온갖 기능을 동원하여 보여주는 것이 필요하다. 그래서 교통박람회에서는 중심 시가지를 사이에 두고 의도적으로 반대편에 제2행사장인 '캐나다 프레이스'를 만들었다. 여기에 세워지는 컨벤션 센터인 '월드 트레이드 센터'를 캐나다 연방정부관으로 보여줌과 아울러 두 개의 재개발지를 잇는 신교통 시스템을 행사장간 이동이라는 형태로 체험시키기 위해서이다. 이 밖에도 국

'국제 교통박람회' 제2행사장 — 미래의 월드 트레이드 센터를 캐나다관으로 삼았다.

제전시장을 브리티시 콜롬비아 주정부관으로, 그리고 6만 명을 수용할 수 있는 스타디움을 이벤트 홀로 만드는 등 새로운 도시 시설을 모두 박람회에 포함시켰다.

따라서 박람회 행사장을 돌아다니는 것만으로도 밴쿠버가 새로운 관광 컨벤션 도시로서 높은 잠재력을 갖추고 있음을 몸소 체험하도록 장치되어 있었다. 즉 국제박람회라는 이벤트를 통해 도시 그 자체를 '쇼룸화'했던 것이다.

이 박람회의 철학은 예산 계획을 보면 잘 알 수 있다. 브리티시 컬럼비아 주정부는, 당초 예산 단계에서부터 이 박람회에 3억 1,000만 달러를 적자분으로 예산하고 있었다. 처음부터 적자가 되는 것을 전제로 해서 프로젝트를 진행시키고 있었다는 것이다.

그리고 실제로 목표의 1,500만 명을 훨씬 웃도는 2,200만 명의 방문객을 유치했지만 역시 2억 8,000만 달러의 적자를 내게 되었다. 그러나 처음부터 3억여 달러의 적자를 생각하고 있었으니 예상밖의 일도 아니었고 당연히 전혀 문제가 되지 않았다.

간단한 것처럼 보여도 이것은 대단한 일이었다. 일본의 행정기관주도형 이벤트와 비교해보아도 그렇다. 계획과 달리 적자가 되어 매스컴이나 의회의 비판을 받아 당황스럽게 세금으로 보충하는 경우는 종종 있지만 처음부터 적자를 각오하고 시작하는 경우는 없다고 볼 수 있다. 상당히 강한 의지와 컨셉이 없다면 그런 일은 할 수가 없다.

많이 흑자를 낸 것처럼 가장한다든지 외관상의 결산결과를 맞추어 폼을 잡는 것 따위를 생각하지 않은 것이 이 이벤트의 철학을 무엇보다도 잘 설명하고 있다. 이것이 명실공히 도시개조사업의 중심 시책으로서 자리매김하고 있다는 증거이다.

미래도시의 예고편 — 리스본

밴쿠버의 교통박람회는 도시 개조의 성과를 알리는 것이 목적이었지만, 변모하고 있는 도시의 모습을 도중 경과로서 프레젠테이션하기 위해서 열리는 이벤트도 있다. 1998년에 포르투갈 리스본에서 열린 '리스본 국제박람회'가 그 좋은 예다.

행사장이 된 곳은 리스본 동부에 펼쳐진 워터 프런트. 바다 같은 테조 (Tejo)강에 안긴 표정 풍부한 물가 공간과 그 배후에 위치한, 기복이 풍부한 이국적인 거리가 리스본의 매력인데, 이 행사장은 확실히 그러한 매력을 고스란히 드러내고 있었다.

하지만 옛날부터 그랬었던 것은 아니다. 실은 이 박람회가 열릴 때까지 이 지역의 이미지는 최악이었다. 썩은 정유공장의 흔적이나 도살장의

재개발 전의 '리스본 국제 박람회' 행사장 부지 — 접근하는 사람이 없는 곳이었다.

흔적, 병기의 파편 처리장이나 폐자재 처분장 등이 몰려 있던 이 일대에
대해 리스본 시민은 더럽고 냄새나고 위험하다는, 뿌리깊은 부정적인 이
미지를 가지고 있었기 때문이다. '저런 곳에 비집고 들어가면 어떻게 될
지 모른다', '여자는 절대로 가면 안 되는 곳이다'라는 부정적인 소문 때
문에 그곳에 접근하는 사람이 없었던 것 같다.

　교외의 워터 프런트라는 입지에 있으면서, 공항으로부터 불과 10분,
시내 중심부로부터도 15분 거리라는 개발 잠재력을 갖춘 이곳은 리스본
에 남겨진 마지막 토지였다.

　포르투갈 정부는 20년 이상의 초장기간에 걸치는 대규모 재개발 계획

을 결정하고 1980년대 말에 프로젝트를 시작했다. 완성 예정은 2010년, 개발 규모는 330헥타르에 이른다.

하지만 최대의 장애는 시민들의 머리 속에 각인되어 있는 나쁜 이미지였다. 아무리 '지금까지와는 다르다'라고 선전해보아도, 한 번 뇌리에 새겨진 이미지를 그렇게 간단히 불식시킬 수는 없다. 이전과 전혀 다른 안전하고 쾌적한 지역으로 다시 태어났다는 것을 납득시키기 위해서는 눈으로 직접 확인할 기회를 만들 수밖에 없는 것이다.

많은 리스본 시민이 그곳으로 발길을 옮기게 하는 방법은 없는가. 최대 규모의 가장 효율적인 집객사업이란 무엇인가. 그 실현 방법으로서, 즉 시민의 이미지를 새롭게 고치는 비장의 카드로서 선택된 것이 국제박람회였다.

이 박람회는 계획 시초부터 초장기간에 이르는 대규모 개발의 리딩프로젝트(leading project)로서 전략적으로 자리매김되어 있었다. 장기간에 걸친 재개발의 정확히 중간 시점에서 박람회를 열기로 한 것은, 10년에 걸쳐서 깨끗한 환경을 정비하고 박람회에서 새로운 이미지를 획득하여, 거기서 얻은 추진력을 바탕으로 다음 10년의 개발을 가속시키려고 생각했기 때문이다.

앞으로 출현할 미래 도시의 '예고편'을 보이는 것도 중요한 역할이었기 때문에, 리스본 박람회에서는 개발 계획 리스트의 초기에 계획되어 있는 시설들을 가능한 한 '앞 이용'해서 박람회를 구성하고자 하는 컨셉이 명쾌하게 설정되었다. 실제로 1만 5,000명을 수용하는 다목적 홀을 '유토피아관'으로, 미래의 총리부를 '포르투갈관'으로 하는 등 많은 시설이 선행 건설되어 박람회 기간중에만 기능과 용도를 바꾸어 이용되었다.

최근 이러한 종류의 이벤트에서는 만들어놓은 것을 낭비없이 얼마나 유효하게 활용할 것인가 하는 '후 이용'에 주목과 관심이 모이고 있다. 환경 부하나 투자 효율에 엄격한 시선이 모이고 있기 때문이다. 그래서

리스본 국제박람회 — 워터 프런트의 특색을 살린 아름다운 행사장

어쩔 수 없이 이벤트의 주최자는 결과물을 만들기 위해 무리를 해서까지 이벤트에 사용된 건물을 박물관으로 개장하거나, 철거된 공간을 활용 빈도가 극히 낮은 허울 좋은 공원으로 남기거나 한다. 이름이 나타내는 대로 '후 이용'이라는 발상은 애초부터 소극적이다. 하지만 리스본의 발상은 반대였다.

리스본 국제박람회는 포르투갈의 전인구에 상당하는 1,000만 명의 방문객을 맞이하여 호평 가운데에 막을 내렸다. 행사장 경관이 매우 아름다운 박람회였다. 그때로부터 5년이 지난 지금도 개발은 계속되고 있을 것이다.

그리고 지금, 포르투갈은 활기로 가득 차 있다. 행사장 철거지도 훌륭하게 번영하고 있는 것 같다. 이하는 2001년 6월 9일자 ≪일본 경제 신문≫ 기사의 일부분이다.

'국제박람회의 여운, 경기 지탱'

1998년의 리스본 국제박람회의 '여운'이 지금도 포르투갈 경제를 지탱하고 있다. 국제박람회는 1998년의 포루투갈 내 총생산(GDP) 증가분의 3분의 1을 벌어들였다고 보도되지만, 무엇보다 '유럽 타국과 경쟁해나갈 수 있다는 자신감이 생겨난 것이 더욱 큰 성과다.'

그리고 3년 후. 철거지에는 상업·거주·오락이 일체가 된 복합시설의 개발이 진행되고 있다. 메인 행사장이었던 유토피아 돔에서는 연일 콘서트나 스포츠 이벤트가 개최되고, 휴일에는 바다를 테마로 한 대규모 쇼핑센터에 리스본 시민이 몰려든다. 철거지를 중심으로 한 약 330헥타르의 재개발 지역에는, 지금도 월 100만 명의 방문객이 찾아든다고 한다. 기업 유치도 순조로워, 영국의 버더폰 그룹이나 미국의 포드 모터, 독일 BMW, 일본의 소니 등이 진출했다.

완성까지 나머지 수 년. 그 무렵에 다시 현지를 방문하여 이 박람회가 어떤 역할을 수행했는지를 검증해볼 생각이다. 기대가 된다.

10년 후, 20년 후까지 시야를 넓혀 주의 깊게 지켜볼 만한 이벤트는 많지 않다. 리스본 박람회의 사업에는 치밀함과 대담함이 함께 하고 있었다. 그리고 무엇보다 확고한 자신감과 자랑이 있었다.

흔들림이 없는 이벤트에는 설득력이 있다.

중요한 것은 '지역경영'의 관점

잊어서는 안 되는 것은, 예로 든 3개의 박람회가 모두 새로운 도시 이미지의 대외적인 어필에 기여했던 것뿐만 아니라, 지역 내의 시민의식도 바뀌었다는 것이다. 후쿠오카는 물론이고, 밴쿠버나 리스본 역시, 지금까지와 다른 새로운 지역 이미지를 가장 민감하게 감지한 것은 다름아닌 시민 자신이었을 것이다. 이 의미로 이벤트는 확실히 지역 CI(corporate identity) 그 자체다.

이들 이벤트에는 공통되는 중요한 포인트가 있다. 그것은 이벤트를 '도시 경영'의 관점에서 접근했다는 것이다. 경영전략의 요점으로 이벤트를 당초부터 명쾌하게 평가해 경영 도구로써 살리는 것에 우위를 두고 있었다.

즉 '이벤트는 목적이 아니고 수단'이라는 당연한 것을 알고 있었고, '이벤트의 개최가 자동적으로 효과를 가져다주는 것은 아니다'라는 것도 알고 있었다는 것이다. 그리고 그러한 생각을 바탕으로 전략적으로 프로그램을 구축해야 한다는 발상이 있었다.

지금 생각하면 후쿠오카 박람회 개최 기관과 같은 시기에 일본 전역에서 30개가 넘는 지방박람회가 열리고 있었다. 10여 년이 지난 지금, 각각의 지역에는 도대체 무엇이 남아 있는가? 순진하고 공허한 구호로 가득 찬 테마나 이념은 과연 지역에 계승되고 있는가? 이 문제에 관해서는 언급이 필요없을 것이다. 승부는 처음부터 나와 있었던 것이다.

이벤트는 지역활성화의 촉매

앞에도 서술했지만 이제 지역은 행정기관이 혼자서 깃발을 흔드는 것만으로는 바뀌지 않는다. 후쿠오카의 경우를 보면 알 수 있듯이 지역이 다이너미즘(dynamism: 역본설 또는 역동설. 본문에서는 dynamics와 같은 의미로 쓰여 '원동력, 힘'을 의미한다)을 손에 넣기 위해서는 우선 시민과 행정기관이 같은 생각을 공유할 수 있어야 하고, 행정의 시책과 시민의 움직임이 자동차의 양쪽 바퀴가 되어 상승효과를 낳는 구도가 되어야 한다. 당연한 일이지만 지역은 시민과 행정기관이 각각의 역할을 다하면서 함께 만들어가는 것이 되었다.

하지만 그렇다고는 해도 아무것도 하지 않고 저절로 그러한 태세가 갖추어지는 것은 아니다. 당연히 배경이 되는 조건이 필요하다.

가장 기본적인 요건이 되는 것은 지역에 대한 시민이나 기업의 참가 의식과 연대감, 그리고 지역을 연결하는 사람과 정보의 네트워크이다. 행정기관과 시민이 함께 손을 잡은 공동체험이 있으면 더욱 더 유리하다. 이것들은 모두 지역이 자립적·전략적인 행동을 일으키는 엔진이 된다. 이벤트는 이 면에서도 크게 기여할 수 있다.

많은 사람이 힘을 합쳐 하나의 '일'을 만드는 이벤트에는 관계자 사이에 연대감을 양성하는 효과가 있다. 목표 달성을 위한 공동작업이 일정한 기간 '강제'되기 때문에, 서로의 이해가 진행되어 일이 끝났을 무렵에는 전우와 같은 동반자가 된다. 따라서 관계한 사람 모두의 결속력을 높여주어 결과적으로 유연한 네트워크를 남긴다.

이러한 특성을 효과적으로 살릴 수 있으면, 이벤트는 지역사회를 포괄하는 유효한 전략이 된다.

그 좋은 예의 하나로 1994년 미에(三重)의 '축제박람회'에서 만들어진 '축제 존'이나 '액팅 에어리어(Acting Area)'와 같은 '고향 이벤트 플라자'라는 이름의 수수한 파빌리온에서의 독특한 시도가 있다.

파빌리온이라고는 하지만 전시장이 아니라 스테이지와 700석의 관람석으로 된 극장이었다.

미에현 내의 시정촌(市町村＝시읍면)이 행사를 통해서 박람회에 참가하기 위한 시설이었다. '○○町의 날'이라고 이름을 붙여 날짜별로 각 시읍면의 날을 정해서, 담당이 된 시읍면이 책임을 지고 그 날의 스테이지를 메우는 것이다. 미에현에는 69개의 시읍면이 있기 때문에 각기 다른 69가지의 '축제'가 연일 베풀어지게 되었다.

다만 '시읍면 데이'라고 불리는 이 행사 형식 그 자체는 결코 드문 것은 아니다. 오히려 정형화(定形化)된 행사라고도 할 수 있을 정도로 지방

'축제박람회' 고향 이벤트 플라자 — '시읍면 데이' 행사의 무대가 되었다.

박람회 어디에서나 하고 있다. 실제로 스테이지상에서 하고 있는 것 (what)을 본 것만으로는 다른 박람회의 '시읍면 데이'와 구별이 되지 않을지도 모른다.

하지만 미에의 경우는 프로세스(how)가 달랐다. 눈에 보이지 않는 곳에 시간을 들여 충실한 조치를 계속하고 있었던 것이다. 박람회를 미에 현민의 지역 참가 의식을 높이기 위한 스프링보드로 만들고 싶다고 생각한 미에현은 이미 개최 3년 전부터 준비를 시작했다.

'좋지! 미에 현민 총참가 사업'이라고 명명된 이 프로젝트는 한마디로 말하면 '시읍면 데이'를 위한 이벤트 만들기를 지원하는 보조사업이다. 그러나 일반적인 보조사업처럼 중앙에서 고안한 '양식'으로 유도하는 것도 아니며 그것에 맞는 사업만을 지원하는 것도 아니었다. 오히려 사상은 완전히 반대였다.

기본적인 골조는 다음과 같은 것이다. 실은 이것이 후에 결정적인 역할을 다하게 된다.

- 사업의 내용은 시읍면이 자유롭게 결정하면 좋다. 내용을 불문하고 예산의 반을 무조건 현이 책임진다. 다만 보조금을 받으려면 이하의 조건을 지키지 않으면 안 된다.
- 시읍면 직원뿐만 아니라 지역주민과 민간단체를 넣은 사업추진조직을 편성해 그 조직을 사업주체로 해야 한다.
- 이벤트의 기획을 이벤트 회사 등 제삼자에게 위탁하면 안 되고 반드시 조직 내부에서 자력으로 만들어야 한다.
- 현 주최의 '축제 도장(道場: 훈련장)'에서 사전에 기획 내용을 공표하고 다른 시읍면이나 지역주민과 정보를 교환해야 한다.

"처음부터 스스로 만들어라", "주민과 함께 생각해라"고 지시받은 시읍면은 처음에는 대단히 당황한 것 같았다. 그리고 예상대로 당초의 반응은 한결같이 '사업 플랜의 모형을 제시했으면 좋겠다'는 듯했다. 종래의 보조금 제도를 생각해볼 때 어쩌면 당연한 반응이다.

그러나 현은 일부러 그것에는 응하지 않고 그것을 대신해 '이벤트 디렉터'라는 전문가와 '이벤트 달인'이라는 자원 봉사자를 시읍면에 파견하고 기획 준비를 측면에서 지원하는 시책을 취했다.

모든 시읍면이 처음엔 고생한 것 같지만 시간을 들이고 손으로 더듬어나가는 동안에 점점 열정이 생기기 시작했다.

사라져 버린 축제를 '부활'시킨 마을, 종래의 축제를 '충실화'시킨 마을, 새로운 축제를 '창조'한 시 등, 각각 독자적인 방향을 잡아가게 되었던 것이다. 처음으로 마을 밖에 나간 아키쵸(阿藝町)의 '자루야부리(바구니 깨기)', 옛 축제를 부활시킨 호쿠세이쵸(北勢町)의 '마루야마춤(丸山踊)', 새롭게 창작된 시마쵸(志摩町)의 '바닷물 뿌리기 축제', 2,000명이

시마쵸의 '바닷물 뿌리기 축제'

춤춘 키세쵸(紀勢町)의 '바보 춤'…….

　공연 당일에는 이상한 열기가 피어올랐다. 행사에 참가한 사람이 4만 4,000명, 응원하러 왔던 사람은 6만 명 이상. 이것만으로도 10만 명 이상이 움직이고 있다. 놀랄 만한 것으로는 전 주민의 과반수가 행사장에 집결한 마을까지 나타났다. 이 '스스로 생각하고 스스로 만든다' 프로젝트는 그만큼 지역을 움직이는 임팩트가 있었다.

　이하는 기록집 안에서 발췌한 당시 각 대표들의 발언이다.

　　이 야부사메(流鏑馬)춤은 축제박람회를 기념하여 부활시킨 축제입니다. 옛날에는 했었는데 중단되고 있었다가 다시 부활되어 벌써 4년째입니다. 축제박람회를 위해서 철저히 연습했습니다〔타도쵸(多度町) 이토 무네타카(伊藤宗隆) 정장(町長)〕.

마츠사카 시(松阪市)의 '기온(祇園) 축제'

간코 춤도, 최근에는 전혀 추지 않았습니다만, 축제박람회를 계기로 이 춤을 전통 예능으로 남기려 하고 있습니다〔하쿠산초(白山町) 야마오카 히토미(山岡瞳) 정장〕.

이번은 시민 여러분의 자발적인 참여에 의해 모든 것이 손수 만들어진 것이므로 시민 여러분에게 대단히 감사하고 있습니다. 이러한 형태가 대단히 의의 있는 것이라고 생각합니다. 행정기관 주도로는 계속되지 않습니다. 이 축제박람회로, 시민 여러분이 스스로 지역을 부흥시키려는 기운이 생긴 것이기 때문에……〔마츠사카 시 오쿠다 키요하루(奧田淸晴) 시장(市長)〕.

모든 행사는 에도(江戶, 1603-1868) 후기부터 우리 마을에서 쭉 계승되어 온 것입니다. 처음으로 외부에 발표합니다. 오늘은 마을로부터 2,200명 정도

요카이치시(四日市市)의 '고래배'

와 있습니다. 인구는 5,300명이기 때문에, 마을의 반 정도가 와 있다는 얘기입니다. 마을에 남아 있는 사람은 갓난아이와 노인뿐입니다(키세쵸 타니구치 토모미(谷口友見) 정장).

성공하는 이벤트에는 '프로세스'가 마련되어 있다

이 사업은 계획 단계에서부터 다수의 주민을 참여시켰고, 공연에서도 많은 인원을 동원했다. 박람회라는 비일상의 무대가 일상을 넘는 에너지를 결집하여 지역에 대한 자랑과 연대감을 키웠다. 무엇보다도 박람회 후에 계속되는 '축제'를 남겼다.

하지만 실은 이 프로젝트의 참뜻은 완전히 다른 곳에 있었다. 그것은 행정기관과 시민이 처음으로 본격적인 공동작업을 경험할 수 있었다는 것이다.

이 경험이 지역에게 주는 효과는 측정할 수 없을 정도로 컸던 것이 틀림없다. 앞으로의 자립적인 마을 만들기·지역 만들기에 있어, 빠뜨릴 수 없는 조건이 되는 것이 행정기관과 시민의 협동이지만, 그것을 한꺼번에 실현하는 것은 매우 어렵다. 그러나 이 프로젝트에 참가한 시읍면은 그것을 위해 애써 노력하지 않아도 매우 자연스럽게 이 경험을 쌓을 수가 있었다.

어쩌면 처음에는 양쪽 다 손으로 더듬듯이 살펴가며, 행정기관측은 지역내의 시민단체나 중요 인물을 집중적으로 조사해 어떻게 하면 지역의 특성를 표현할 수 있을까를 필사적으로 생각했을 것이다. 주민측은 갑자기 관공서에 불려가 무엇이 시작되는지조차 몰랐을 것이다. 하지만 점차 행정기관은 지역의 실상이나 지역을 움직이는 포인트를 잡아갔을 것이고, 주민은 행정기관의 체질이나 협동의 포인트를 잡아갔을 것이다.

즉 이 프로젝트는 '시민과 행정기관이 각각의 입장에서 각각의 역할을 다하는' 데 절호의 훈련 기회가 되었다. 시민과 행정기관이 함께 자기 지역의 상황을 재검토하고, 지역의 합의를 형성해나갔기 때문이다.

'다다미 위의 수영 훈련'이라는 말이 있다. 물에 들어간 적이 없는 사람은 수중의 상태를 정확히 상상할 수 없다. 그래서 아무리 수영의 명수라도 헤엄친 경험이 없는 사람에게 헤엄을 가르칠 수는 없다는 것이다.

지역도 이것과 같아, '한 번 해보는' 일이 큰 전진으로 연결된다. 반대로 말하면 이벤트에서의 경험이 그 후의 지역 활동은 촉발시킬 가능성을 낳는다.

어찌보면 미에현의 지역 만들기 활동에 있어서 본격적인 것은 '이제부터'라고도 할 수 있다. 박람회는 행정기관과 시민이 손을 잡아 지역 변혁을 시작하기 위한 '연습 문제' 풀이 기회였다고 생각해야 할 것이다.

한편 이 프로젝트는 지역 내의 뛰어난 인재를 발굴하는 계기가 되었을 가능성이 높다. 자신들의 손으로 직접 지역 이벤트를 만들어가는 프로세스는 지역 만들기를 지탱하는 젊은 리더들을 발굴하고 육성한다.

자립적인 진흥에 성공한 지역은 어느 지역이나 모두 '일부 사람의 문제 의식이 계기가 되어 열의가 점차 퍼지며' 이윽고 지역 전체의 기운이 고조됨과 함께 힘이 결집되어' 서서히 바뀌기 시작한다는 프로세스를 따르고 있다. 지역의 인재를 기른다는 면에서도 이벤트는 지역 만들기에 크게 공헌할 수가 있다.

다만 이벤트만 하면 이러한 성과가 자동적으로 손에 들어온다고 생각하는 것은 큰 오산이다. 사실 축제를 한다고 한 때 떠들석하다가 이벤트 이후에 아무것도 남지 않는 불꽃 놀이가 되어버리는 경우가 대부분이다.

이제 말할 필요도 없을 만큼 결정적 수단이 되는 것은 '프로세스'이다. 이벤트가 지역에 무형의 효과를 남기는 것은 계획 단계부터 명확한 전략과 그에 따른 충실한 대처가 있었을 때뿐이다.

미에현의 경우에서는 '시민참가를 위한 구체적인 목표와 스테이지가 알기 쉬운 형태로 제시된 것', '참가 의욕을 고취시키는 인센티브가 준비된 것', '자립적인 행동을 강제하는 장치가 준비된 것', '그것을 측면에서 지원하는 시스템이 제공된 것' 등, 일련의 프로그램이 계획적으로 집행되고 있었다. 어쨌든 미에현은 현 내 축제의 실제조사로부터 시작해서 4년의 세월을 소비했다.

하지만 유의해야 할 것은 방문객이 보는 '결과'는 어디에나 있는 지방 박람회의 '시읍면 데이'와 같아서 배후에 있는 원대한 프로세스를 볼 수 없다는 사실이다. 아마 한 관람객으로서 스테이지를 본 것만으로는 간편하게 준비한 여타 행사와 다른 점을 구별하지 못했을 것이다.

매일의 무대를 채우는 것만으로도 좋다고 한다면, 간단한 방법은 얼마든지 있고, 유감스럽게도 어느쪽이든 외형적으로는 다름이 없다. 그런데도 굳이 프로세스에 에너지를 쏟으려고 한 것은 강한 의지가 작용하고 있었기 때문이다. 반대로 말하면, 흔들리지 않는 의지를 가지는 이벤트만이 힘을 손에 넣을 수가 있다는 것이다.

지역에 무형의 유산을 남기고자 한다면 '무엇을 만들까'보다 오히려 '어떻게 만들까'를 생각하는 것이 중요하다.

힘이 있는 이벤트는 확실한 프로세스가 준비되어 있다.

기념품도 지역 진흥의 수단이 된다

지역 이벤트의 파급효과에는 경제파급효과나 고용촉진효과라고 하는, 눈으로 보이는 유형의 것과 앞에서 언급한 것 같은 무형의 것이 있다. 멀리 내다보고 지역 진흥을 생각한다면 목표로 해야 할 것은 물론 후자다.

되풀이 언급했던 것처럼, 무형의 효과를 남길 수 있을지 어떤지는 결과보다 오히려 프로세스에서 결정된다. 미에현의 경우로 볼 때 눈으로 보이는 성과는 아마추어의, 그것도 불과 하루만의 무대에 지나지 않지만, 그 지점에 도달할 때까지의 프로세스가 재산이 되었다. '어떻게 만들까'가 문제가 되는 것이다.

하지만 유감스럽게도 현재의 이벤트는 집객수와 수지, 혹은 미디어에 의한 PR효과 등, 눈으로 보이는 것밖에 평가되지 않는다. 이것들은 모두 단지 '무엇을 만들었는가(what)' 하는 것으로부터 비롯되는 것이다.

사실은 제일 중요한 것임에도 불구하고 '어떻게 만들었는지(how)'는 평가의 잣대에 오르지 않는다. 따라서 지역에 무형의 효과를 남기려고 한다면 누구에게도 칭찬받지 못할 것을 각오하고 프로세스를 꾸밀 수밖에 없다.

예를 들어 작은 것이지만 기념품을 조달하는 방법조차도 지역에 주는 임팩트가 전혀 다를 수 있다. 이벤트에서는 기념품 판매 수익이 부수적인 효과이다. 일정 규모를 넘는 이벤트에서는 로고나 마크가 들어간 키홀더나 T-셔츠 등의 오리지날 상품을 판매하여 수입원으로 한다. 단가는 싸지만, 매상은 옆에서 상상하는 것보다 훨씬 크다.

오리지날 상품의 기획·제조를 실시하는 가장 손쉬운 방법은, 이런 종류의 상품을 취급하는 전문 회사나 현지의 백화점 등에 '일괄 위탁'하는 것이다. 그러면 그 후에는 아무것도 하지 않아도 로열티 수입이 들어온다. 노력할 필요도, 위험부담도 없다. 장점뿐인 듯하지만 그렇게 하면 처음부터 지역에는 아무것도 남지 않게 된다.

한편 이것과는 180도 반대의 방식이 있다. 박람회처럼 규모가 크고 준비 기간도 길게 설정된 이벤트라면, 그 지방의 메이커와 협의하여 희망자를 모집해 비영리 판매조직을 만든다. 예를 들어 '기념품협회'라고 이름 붙인 그 단체가 이벤트의 주최자와 이인삼각(二人三脚)으로 기념품의 관리와 판매를 일괄적으로 다룬다.

간단하게 말하면 그 지방의 메이커가 상품의 기획에서 생산까지 자사에서 일관해 실시하고, 비영리 협회가 이를 통괄하여 행사장 내에서 판매하는 구조이다.

지방의 중소 메이커의 상당수는, 대기업 의존의 하청업체 체질에서 좀처럼 벗어나지 못하고 있다. 그러나 모든 메이커가 기획력과 상품개발력을 기반으로 하는 자립 가능한 기업체질로의 이행이 요구되고 있다.

기획력·디자인력의 향상, 종업원의 의식 개혁이나 마케팅 감각의 양성, 인적 네트워크나 타업종간 교류촉진 등 체질개선을 위해서 해야 할 것은 많지만, 독자적으로 개발한 상품을 유통시킬 기회는 그렇게 쉽게 찾아오지 않는다. 그러므로 기획으로부터 생산까지의 프로세스를 사원에게 경험시키는 트레이닝 기회를 만들 수 없다는 것이 현실이다.

따라서 '이벤트에 기념품 제작사로 참가하지 않겠습니까?'라고 얘기해도, 처음엔 대개 주저한다. 해보고 싶은 마음은 굴뚝같지만 지금까지 '이것을 만들라'고 주어진 것만을 만들어왔을 뿐이기 때문에, 잘할 수 있다는 자신감이 없고, 자금면에서 위험부담을 안고 뛰어들 만한 여유도 없기 때문이다. 당연한 얘기다.

하지만 이 제안을 수용한다면, 예전과는 달리 자력으로 상품을 개발하게 되기 때문에, 상품 아이템의 선정, 기획, 디자인에서부터 생산까지의 모든 것을 사내에서 실시하는 좋은 경험이 된다. 이전부터 기획해왔던 디자인이나 상품의 테스트 판매도 할 수 있고, 협회에 가맹하는 다른 분야의 생산자와 교류도 생길 것이다. 무엇보다 우리들이 만든 것에 소비자가 어떻게 반응하는지를 자신의 눈으로 확인할 수가 있다. 분명 장점이 있다는 것은 생각할 필요도 없지만, 문제는 리스크(risk)와 비용(cost)이다. 경영자의 상당수는 그렇게 생각한다.

물론 참가 기업에 대해 이익을 보장할 수는 없다. 행사장내에서 독점적으로 판매할 수 있다고는 해도, 만든 것이 팔린다고 보장할 수도 없고, 너무 많이 만들어서 재고를 떠안는 경우도 있다.

다만 판매는 생산자가 스스로 만든 비영리단체에서 하기 때문에 시설 설치비나 비영리단체 판매원의 인건비 등 판매 경비의 실비만 나와도 괜찮을 것이다. 메이커로부터 소비자가격의 70-80%로만 구매해도 어떻게든 운영해나갈 수 있다. 납품하는 측에서 보면 이 조건은 파격적인 것이고, 기존의 납품 단가에 비해서도 30-40%는 높다. 즉 이 차액을 담보로 위험부담을 줄일 수도 있다.

게다가 위험부담을 줄이는 지원(back-up) 체제도 준비한다. 이런 종류의 기념품 판매에 경험이 풍부한 조언자를 모시고 상품 내용, 가격, 생산 루트 등에 대해서 조언을 받는 시스템을 갖추어, 처음 시도를 하려고 하는 참가 기업을 측면으로부터 지원하는 것이다.

필요한 일련의 프로그램의 계획적 수행

이 사례는 이벤트라는 특수한 환경을 통해서, 그 지방 기업에 대해서 관행의 틀을 넘는 시도를 유발하는 '자리'와 '기회'와 '정보'를 제공하는 방안이다.

기본은 '새로운 액션을 위한 목표와 스테이지를 구체적으로 제시하는 것', '참가 의욕을 높이는 인센티브를 준비하는 것', '측면으로부터 지원하는 시스템을 제공하는 것'이라는 일련의 프로그램을 계획적으로 실시하는 것에 있다.

더 이상 말할 필요도 없을 것이다. 이것은 축제박람회의 '시읍면 데이'와 완전히 같은 구조다. 그리고 마찬가지로, 방문객이 보는 '성과'는 단순한 기념품일 뿐이므로 그들의 눈에는 프로세스가 보이지 않는다.

지역 이벤트라는 도구를 효과적으로 사용하고자 한다면, 가능한 한 이러한 장치를 내포시켜 놓는 것이 필요하다. 이러한 요소가 조합되어 쌓여가면서 지역 이벤트의 역할은 비약적으로 증대하는 것이다.

예전에 '이벤트는 지역을 바꿀 수 있는가?'라는 테마로 강연을 부탁받았던 적이 있다. 그 때 나는 마지막에 이렇게 매듭지었다.

이벤트만으로는 지역이 바뀌지 않는다. 그러나 이벤트 없이도 지역은 바뀌지 않는다. 그것을 알고 있는 지역만이 스스로를 바꿀 수가 있다.

'지역'을 '도시', '거리', '농촌', '상가' 등과 바꾸어 생각해도 괜찮다. 어느 단위에서라도 기본적인 구조와 문제의 소재에 차이는 없다. 이벤트의 적용 범위는 그만큼 넓다는 것이다.

제5장 이벤트 프로듀서의 자질

이벤트의 특성 1 — 임시성

‘1회만의 특별한’ 사건인 까닭에 이벤트에는 교과서나 매뉴얼이 없다. 누구라도 같은 내용을 재현할 수 있는 ‘매뉴얼’을 준비해보았자 도움이 되지 않고, 내용이나 연출을 패키지로 한 ‘세트 메뉴’를 마련해도 의미가 없다.

이벤트를 수행하는 것은 조리법 설명서나 사전 연습 없이 갑자기 생방송중에 진짜 요리를 테이블에 만들어올리는 것과 같이, 그때마다 개별적인 전략과 전술을 마련할 수밖에 없다. ‘목적 달성을 위한 일’이라는 점은 같아도, 해야 할 일이 정해져 있고, 작업을 효율적으로 처리하기만 하면 되는 평범한 일과는 다른 부분이다.

규모나 종별에 관계없이, 이벤트를 꾸미려면 컨셉을 생각하고, 프로그램의 내용을 구성해, 역할을 분담하여 준비작업의 절차를 정돈하여 예산을 관리하는 것이 필요하다. 만국박람회이든 동네 여름축제든, 이 점에 있어서는 변함이 없다. 망년회나 환송회의 간사라도 모두 하고 있는 일이다.

그러나 규모가 커지고 프로그램이 고도화됨에 따라, 직접 만드는 것이 좀 더 어려워지게 된다. 혼자서 만들 수 있는 이벤트에는 한계가 있다. 가족이나 친구, 동창생이나 직장의 동료 등의 '얼굴이 보이는' 상대를 대상으로 하는 파티나 여행 같은 정형적인 포맷으로 실시하는 것이 고작이다.

회사에서도 여러 가지 행사를 개최하긴 하지만, 입사식이나 체육대회 정도라면 사원들의 노력만으로 해낼 수 있어도, 마쿠하리 멧세(幕張メッセ)에서 실시하는 전시회나 전국 종단 캠페인 정도의 규모가 되면 회사 자체 내에서 감당하기엔 무리가 있다. 결국 프로의 손을 빌릴 수밖에 없다. 즉 이 정도 수준이 되면 '목적을 달성하고 싶은 의지를 가진 사람이 스스로 꾸민다'고 하는 초보적인 단계로부터 한 걸음 나아가지 않을 수 없게 된다. 자신은 '클라이언트'가 되고 '전문가'에게 업무대행을 요구하지 않을 수 없게 된다.

다만, 프로라고 해도 혼자만으로 충분한 것은 아니다. 전시회의 경우라면 기본 플랜을 입안하는 사람, 행사장 계획을 설계하는 사람, 전시를 감독하고 관리하는 사람, 조형이나 조각을 디자인하는 사람, 영상을 제작하는 사람, 조명 연출을 담당하는 사람, 그것들을 현장에서 시공하는 사람, 운영 계획을 만드는 사람, 현장의 운영을 관리하는 사람, 홍보를 기획하는 사람 등, 많은 직능이 필요하다. 물론 이벤트의 내용이 고도화되면 될수록, 필요한 직능의 수는 증가하며 요구되는 자질도 높아진다.

잊어서는 안 될 것은 이러한 많은 전문가들이 같은 행사의 동료들이 아니라는 사실이다. 그들은 모두 각각 다른 업태에 속하는 다른 직능의 기술자들이며, 그 이벤트를 위해서만 모여 임시 팀을 구성하고 그 일에 종사한다. 조형을 디자인하는 것은 디자인 사무소의 디자이너이고, 영상 소프트를 제작하는 것은 영상 프로덕션의 몫이다. 현장에서 전시 부스를 시공하는 것은 디스플레이 회사이고, 도우미는 인력 파견 회사가 보낸다. 많은 관계자 중에는 처음으로 얼굴을 맞대는 사람도 적지 않다.

이벤트에는 특징적인 성격이 3가지가 있지만, 그 중 하나가 이 '임시성'이다. 이벤트는 평범한 일들과는 달리 불규칙한 사건이라는 면에서 임시적이지만, 많은 경우, 그것을 집행하는 조직 또한 '임시조직'이다. 원래 완전히 같은 멤버로 같은 것을 반복한다면, 그것은 이미 이벤트가 아니라고도 할 수 있다. 이벤트는 그것만을 위해 결집한 단회성의 조직으로 운영되는 것이 원칙이라고 해도 좋다.

즉 개인적인 레벨을 넘는 이벤트는, 다종 다양한 전문가들의 공동작업의 성과로써 만들어진다. 그리고 그것을 수행하는 것은 임시로 편성된 프로젝트 팀이다. 물론 그들은 전문가들이기 때문에 스스로의 책무를 다하는 것만을 생각한다. 각각의 입장이나 이해가 반드시 일치하지만은 않는 상황 속에서, 그러한 일시적인 인간 관계로 만들어지는 조직체를 원만히 잘 통제하는 것이 이벤트의 성공 여부를 결정짓는 중요한 포인트인 것이다.

조직의 임시성은 말할 것도 없이 그 자체가 위험 부담이 된다. 이것이 평범한 일들과 결정적으로 다른 점이고, 처음부터 조직이 어긋나기 쉬운 구조로 되어 있다. 이 '유연한 조직'을 기능적으로 매니지먼트할 수 있는가 하는 것이 이벤트 운영의 열쇠라고도 할 수 있다. 이러한 전문가 집단을 통솔·통제하는 사람이 프로듀서이다.

이벤트의 특성 2 — 복잡다양한 요소와 연쇄성

두번째 특성은 '복잡다양한 요소와 연쇄성'이다. 아무리 작은 이벤트일지라도 하나의 독립된 사업이므로 이른바 '프로젝트'에 필요한 요건을 모두 채우지 않으면 안 된다. 무(無)의 상태에서 기획을 입안하고, 계획안을 정리해 실제로 물건이나 조직을 만들고, 또 그것을 현장에서 운영하는 것까지 모든 일을 진행해야 하니 당연한 일이다.

기획, 계획, 설계, 제작, 설치, 구축, 운영, 서비스, 홍보, 대접, 판매, 액세스……. 이벤트는 업무의 범위가 매우 넓다. 이벤트에 처음으로 종사하는 사람이라면 한결같이 놀라워하는 것이, 처리안건의 다양함과 관련된 업무의 다양성이다.

실제로 내가 이벤트 사무국에 협의하러 갔을 때 하루의 회의 스케줄로 준비되어 있는 의제들 중 예를 들면 다음과 같은 것들이 있었다.

- 경비원의 배치와 포스트 수의 검토(행사장운영과)
- 보험 계획의 검토(총무과)
- 소요 전기 설비 용량의 시산 결과 재검토(설비과)
- 예매권의 배권 루트의 기본방침 결정(관객유치과)
- 포스터 안의 선정(홍보선전과)
- 주차장의 포장 사양의 검토(시설과)
- 영업 점포의 모집방법의 결정(장내영업과) 등등

게다가 이러한 다양한 요인들은 서로 얽혀 있어, 조건이 하나 바뀌는 것만으로 다른 요인도 연이어 차례차례로 바뀌어버린다.

단순한 비유로 말한다면, 입장객 수가 당초 예상보다 크게 웃돌 전망이 있고 그만큼 입장료 수입이 증가한다고 무조건 기뻐할 수는 없다. 교통기관이나 시설 입구의 혼잡으로 위험한 상황이 초래될 우려도 있고, 행사장 내의 화장실이나 숍의 처리 능력에 문제가 발생하거나 긴 줄이 생길지도 모르기 때문이다. 만약 화장실이나 음식 코너를 증설해서 대처하려고 하면, 당연히 그만큼 비용이 커진다. 한편 영업 시설의 매상이 증가한다면, 매상 납부금 형태의 수입으로 돌아온다. 하지만 그것은 동시에 쓰레기의 발생량이 늘기 때문에 쓰레기의 처리비가 증가한다는 등의 식이다.

게다가 이벤트를 구성하는 요인은 좀처럼 확정되지 않는다. 모두 상대로 하는 사람이 있는 것들인데다 주로 처음으로 하는 것이기 때문에, 때때로 운영하는 과정을 조정하지 않을 수 없게 된다. 따라서 이벤트의 제작 프로세스는 한 개씩 차례로 확정해나간다고 하는 해결 방법을 취하는 것이 어렵다. 아이들이 블록 쌓기를 하는 것 같이 좀처럼 되지 않아, 모르는 것이나 정해져 있지 않은 것은 가설을 세우고서라도 전체상을 그려볼 수밖에 없다.

그렇기에 이벤트가 좋든 싫든 간에 가지는 이러한 복잡다양한 요소와 연쇄성과 불확실성 속에서 프로젝트를 진행시켜 나가기 위해서는 '예측'과 '조정'이 결정적 수단이 된다. 이것이 이벤트 제작의 요점이다.

풍부한 경험을 토대로 한 '예측력'과 많은 변수를 동시에 처리하는 '조정력' — 이벤트의 프로듀스라는 것은 요컨대 '예측하고 조정하는 것'이라고 해도 좋을 것이다. 이것을 담당하는 직능이 프로듀서이다.

이벤트의 특성 3 — 단회성

이벤트의 세번째 특성은 '단회성' 곧 '1회성'이다.

반복적으로 강조하고 있듯이, 이벤트가 일상과 다른 파워를 발휘할 수 있는 것은, 단회적인 특별한 사건이기 때문이다. 강렬한 이미지를 남기거나 새로운 시도에 도전하거나 하는 '이벤트 특유'의 효용은 모두 이 단회성에서 유래하고 있다.

즉 기회를 살려 위험부담을 각오로 도전한다면, 그만큼 큰 성과를 얻을 수 있는 가능성이 높아진다는 것이다. 위험부담을 감수하고 참신한 아이디어를 실현할 수 있으면 '이벤트로서의 매력'도, '미디어로서의 위력'도 함께 발휘할 수 있다. 위험부담을 감수하는 것을 잊은 이벤트는 힘이 없다.

하지만 한편, 이벤트가 단회적인 행사라는 것은 곧 대부분의 이벤트는 전례가 없는 것임을 의미하기 때문에 하나하나 더듬어가며 진행하는 수밖에 없고, 개봉을 할 때까지는 무엇이 일어날지 알 수가 없다. 이 의미로 말하면 이벤트는 본래적으로 불안정한 구조로 시작하는 것을 피할 수 없는 것이며, 가능한 한 위험의 싹을 없애는 것이 성공에 이르는 조건이라고 말할 수 있다.

즉 이벤트의 한편에서는 위험부담을 받아들이는 것이 요구되고, 한편에서는 위험의 싹을 없애는 것이 필요한, 서로 모순되는 관계 속에 놓여져 있다는 것이다. 이 '1회성'이 '이벤트의 힘'의 원천인 것과 동시에 이벤트를 만드는 데 있어서 가장 큰 어려움이다.

하지만 일견 정반대처럼 보이는 이 두 개의 벡터를 잘 생각해보면 실은 그 성립 요건이 거의 같다. 위험의 싹을 없애든지, 위험부담을 받아들이든지 간에, 사전의 면밀한 검증과 치밀한 계획 없이는 성립되지 않기 때문이다.

즉 이벤트에는 프로젝트 전체를 내려다보고, 밸런스를 취하면서 냉정하게 키잡이 노릇을 하는 지휘관이 필요하다. 이 책임을 다하는 사람이 프로듀서이다.

이벤트 프로듀서의 일

이벤트 프로듀서의 일을 예상해보면, 스필버그나 루카스 등의 영화의 프로듀서를 연상해도 좋다.

영화의 프로듀서는 우선, 시대의 흐름이나 최근의 경향을 지켜보면서

원작을 선택한다. 다음에 그 작품을 어떤 형태로 표현할까를 구상하면서 감독을 선택하고, 극작가를 선택한다. 그렇게 해서 필요한 스태프를 모으고 그 작품을 위한 일시적인 제작팀을 편성한다. 이어서 그들에 대해서 자신의 이미지나 컨셉, 중요한 포인트 등을 설명하고 이해시켜, 작업의 절차와 스케줄을 결정하고 지시한다.

한편, 투자가로부터 자금을 모아 흥행수입 예측을 기반으로 예산을 짠다. 한정된 예산을 효과적으로 사용하기 위해 어떻게 강약을 조정할 것인가를 생각해 질을 떨어뜨리지 않고 효율을 올리는 제작 방법을 궁리한다. 물론 작업 도중에 예상 밖의 사태가 일어나면 예산 계획의 수정과 작업 스케줄의 변경이 불가피해진다.

작업의 흐름을 항상 지켜보면서 컨셉, 품질(quality), 경비(cost), 스케줄 등 모든 것이 자신이 구성한 계획대로 진행되고 있는지를 지켜봐 다른 방향으로 나아갈 것 같으면 수정한다. 스태프들의 일하는 태도를 보고 문제가 있으면 지적해, 그 일이 적성에 맞지 않는다고 판단되면 해고한다.

이벤트의 프로듀서도 이와 같다. 원래 이벤트는 클라이언트가 원하는 개별적인 목적을 달성하기 위해 실시하는 것이므로 최종 목적이 흥행 수익에 있는 영화와는 처음부터 사정이 다르긴 하지만, 실제로 실시하는 업무의 내용은 꽤 유사하다.

클라이언트가 무엇을 원하는가를 짐작해, 시대의 흐름을 읽으면서 컨셉을 구축한다. 여건과 요건을 정리하면서 프로젝트의 기본적인 틀을 만든다. 다음에 프로그램의 내용과 연출의 포인트를 잘 감안하여 그 일에 적당한 스태프를 캐스팅해, 프로젝트 팀을 편성한다. 그들을 모아 그 이벤트의 컨셉과 전체상을 풀어 설명하고, 각각의 역할과 미션을 전한다. 아울러 전체의 작업 스케줄을 편성해, 작업의 시기와 순서를 각각 지시한다. 이것들은 말하자면 크리에이터를 통솔하는 지휘자로서의 프로듀서의 일이다.

한편, 프로듀서에게는 제작 과정을 매니지먼트하는 프로젝트 매니저로서의 역할도 있다.

대략적으로 말하면 이벤트의 제작 프로세스에는 '기획·계획단계', '설계·제작 준비단계', '제작·시공단계', '실시·운영단계'라는 4개의 스테이지가 있지만, 각각에 대해서 '품질관리', '공정관리', '예산관리', '안전(위험부담요소)관리'의 4개의 요소를 관리하는 것이 필요하다.

이것들은 이른바 '관리의 4요소'라는 것으로, 모든 것이 합격 라인에 도달하지 않으면 이벤트는 성공하지 못한다. '품질관리로 120점 잡혔으니까, 공정관리는 50점 정도로 괜찮겠지'하는 생각으로는 안 된다. 아무리 내용이 충실하다 해도 개막이 늦는다면 아무 것도 되지 않기 때문이다.

그러니까 누군가가 작업의 진척 상황을 전체적으로, 그것도 주의 깊게 감독하는 것이 필요하게 된다. 이것이 프로듀서의 또 하나의 업무로서 매니저의 이미지에 가깝다.

이와 같이, 프로듀서라는 것은 크리에이터와 매니저의 '두 가지 입장'을 번갈아 수행하고, '임시성', '복잡다양한 요소와 연쇄성', '1회성'이라는 피하기 어려운 이벤트의 특징을 절충하면서 프로젝트 전체를 통괄하는 존재이다. 솔직히 말해 이것이 참으로 재미있는 일이다.

이벤트를 만드는 묘미

이벤트는 중독에 걸린다. 한번 손을 대면 멈출 수 없다.

이벤터들은 모두 그렇게 말한다. 실제로 나는 이벤트에 대해 나쁘게 말하는 이벤터를 지금까지 본 적이 없다.

오해받으면 곤란하지만, 결코 편안하게 돈을 벌 수 있기 때문이 아니다. 나는 편하게 돈을 벌고 있는 이벤터를 알지 못한다. 그들이 중독에 걸리는 이유는 실로 단순한 이야기로, 이벤트를 만드는 것 그 자체가 즐겁고, 감동이 있기 때문이다.

내가 보기에 이벤트의 묘미는 크게 세 가지가 있다.

첫째, 이벤트는 그것을 만드는 사람에게 항상 새로운 발견이나 자극을 가져다 준다. 무엇보다도, 반복이 없고 언제나 다른 테마가 주어지기 때문에 생소한 세계를 접할 수 있는 기회가 여러 번 돌아온다.

예를 들어, 이것은 실제로 내가 경험한 것이지만, '야요이 시대(彌生時代) 서민의 일상생활'을 전하는 전시회를 설계한 다음날에는 츠쿠바(筑波)의 연구소에서 '바이오컴퓨터의 가능성'에 대해서 지도를 받고, 그 다음날에는 '일본인의 식생활의 과제'를 어떻게 전해야 할 것인가를 전문가와 논의하는 식이다. 물론 그러한 프로세스 속에서 많은 사람들과 만날 수 있고, 다양한 친구도 생긴다. 함께 이벤트를 만드는 입장이 되면 끝났을 때에는 전우가 된다.

관람객에게 있어 이벤트가 항상 첫번째 경험이 되는 것은 물론이지만, 실은 처음인 것은 만드는 측도 마찬가지다. 언제나 처음으로 임하는 것이 허락되는 일은 그리 많지 않다. 그러한 면에서 볼 때 이벤트는 매우 혜택받은 일이다.

둘째는, 관객의 살아있는 반응이나 표정을 직접 자신의 눈으로 확인할 수가 있다는 것이다. 자신이 보낸 메시지가 도달되는 장면을 눈으로 볼 수 있다. 마침 그 때, 그 자리에 있던 사람만이 공유할 수 있는 일체감 속에서, 확실한 커뮤니케이션이 이루어졌다는 실감을 가질 수 있다.

카메라 앞에서 말하거나 원고를 쓰거나 하는 일에서 이러한 실감을 얻는 것은 불가능하다. 혹시 음악가가 느끼는 기쁨에 가까운 것인지도 모른다. '대가(pay-off)'가 있는 것이다. '이로리(난로)'나 '액팅 에어리어' 처럼, 그것을 꾸민 나 스스로가 감동하게 돼버리는 경우도 드물지 않다.

많은 사람과 접할 수 있다는 실감은 쾌락이다. 예를 들어 박람회 개막일 아침, 수천 명의 관람객이 게이트 앞에 몰려들고 있다면 기대와 흥분, 열기와 소란으로 색다른 공기가 감돌게 된다. 드디어 게이트가 열리면 큰 무리의 사람들이 일제히 행사장 안으로 밀어닥쳐온다. 몇 번 경험해도 가슴 설레이는 순간이다.

파빌리온에서, 광장에서, 스테이지에서, 거리에서……, 모두 각각 '반응'해준다. 제작자측이 준비한 메시지에 온몸으로 응해준다. 그리고 바로 그 장면에 내 자신이 함께할 수가 있다. 이 기쁨은 어떠한 말로도 비유할 수 없다. 때문에 한 번이라도 그러한 경험을 한 사람은 반드시 다시 한 번 하고 싶게 된다.

그리고 셋째는, 무엇보다도 '뚜껑을 열어보지 않으면 알 수 없다'는 것이다. 이벤트에서는 무엇이 일어날지, 어떤 평가를 받을지, 직접 해볼 때까지는 알 수가 없다. 그러나 행사가 시작되면 눈앞에서 반드시 결과가 나온다. 어쨌든 모든 것이 눈앞에 드러나기 때문에, 억지이론이나 평계의 여지 등은 일절 없다.

게다가 이벤트는 한판승부이다. 일반 상품처럼 테스트 판매로 반응을 보거나 매출 상황을 보면서 서서히 수정하거나 할 수가 없다.

물론 프로니까 어느 정도의 예측은 된다. 하지만 모두가 예상대로 움직이는 것은 아니다. 지금까지 이벤트는 해프닝도 돌발적 사건(accident)도 아닌 '꾸며진 사건'이며, 사전에 프로그램된 것이라고 말해왔다.

확실히 이벤트 자체가 해프닝은 아니지만, 이벤트는 해프닝이 따라다니며, 이벤트로 일어나는 해프닝이 나쁜 것만은 아니다. 솔직히 말하면, 모든 것이 계산대로 진행된 이벤트가 반드시 우수한 이벤트라고는 말할 수는 없다는 것이다. 그것이 또한 이벤트가 재미있는 점이다.

먼저 소개한 '우드 스톡'도 그렇게 말할 수 있다. 주최자의 예상을 훌쩍 뛰어넘어 제어불능이 될 만큼 사람이 밀어닥치거나, 식료품이나 화장실이 결정적으로 부족하게 되거나, 억수같이 쏟아지는 비가 계속되어 행사장이 진흙투성이가 되거나 했던 일은, 물론 계산 외의 사건이었다. 어떤 의미로는 프로듀서의 실수라고도 볼 수 있다. 하지만 관람객들 사이에 연대감이 양성되어 '사랑과 평화의 제전'이라는 메시지가 문자 그대로 체현되게 된 것은, 이러한 '액시던트'가 있었기 때문이다. 우연한 액시던트나 트러블이 계속되었던 것이 계획자의 생각을 아득하게 넘어 이 이벤트에 큰 의미와 힘을 가져다 주었다.

이벤트에는 반드시 우연한 만남이나 예기치 못한 전개가 있다. 그것이 이벤트의 깊이를 낳아, 강한 인상을 남긴다. '아무래도 시나리오대로' 나아가는 이벤트는 스릴이 없고, 재미도 없다. 이벤트를 즐겁게 하는 것은 우연이나 예상도 하지 못한 발견인 것이다. 뭐가 기다리고 있을지 모르는 장소를 돌아다니는 즐거움과 예기치 못한 것을 발견하는 기쁨…… 이벤트의 묘미는 거기에 있다.

그러기에 이벤트를 만드는 것은 재미있다. 나의 마음은 언제나 두근두근 설레고 있다.

장례식을 대신하는 것

그럼 이제 실제로 이벤트가 만들어져가는 프로세스를 실례를 통해서 알아보자. 다음으로 소개하는 것은 내가 지금까지 손수 다루었던 것 중에서 가장 초보적인 이벤트이다.

클라이언트는 한 개인, 개최기간은 딱 하루, 목적은 단 하나뿐인 실로 심플한, 그러나 더할 나위 없이 어려운 주문의 이벤트였다. 1996년, 장소는 도쿄(東京) 아오야마(青山)의 소게츠 회관(草月會館), 과제는 그 오카모토 타로, 바로 타로 씨의 '장례식'이었다.

정확하게 말하면, 요구조건은 '장례식을 대신하는 것'이었다. 어쨌든 상주로부터 제시된 조건은 단 하나, '여느 장례식과는 다르게 고인을 보내는 방법을 제안하는 것'이라는 것이었다.

타로 씨는 장례식을 싫어했다. 평소 욕을 하거나 훼방을 놓던 사람이 장례식 자리에서는 온순한 얼굴로 '좋은 분이셨습니다'라는 식의 말을 한다. '나는 저런 위선은 정말 싫다, 나의 경우에는 저런 장례식은 하지 말라'는 유언이 있었던 것 같다.

그러니까 이 일을 맡았을 때, 상주인 백모 오카모토 토시코(岡本敏子)가 나에게 했던 말은 단 한 마디뿐이었다.

장례식은 아닙니다. 제단으로 하지 말아줘요.

1996년 1월 7일, 타로 씨는 조용히 세상을 떠났다. 갑작스러운 사건이었다.

밤샘도 고별식도 실시하지 않는다는 것을 그 날 중에 결정해 일제히 소식을 보냈지만, 역시 아무것도 하지 않을 수는 없었다. 어쨌든 매스컴은 물론 일반인들로부터도 장례식에 관한 문의가 잇달아 들어왔고, 참지 못해 아틀리에로 몰려드는 신봉자가 끊이지 않았기 때문이다.

관을 앞에 두고 망연하게 서 있는 사람, 저택 안에 들어가는 것을 망설이고 바깥에서 손을 합장하는 사람, 조각 작품에 손을 대고 눈물을 머금은 사람…….

그들의 뒤에는 조문을 원하는 많은 지인이 있고, 많은 무명의 팬이 있다. 모두 한결같이 이별을 고할 기회가 주어질 것이라 믿고 있는 것이 틀림없었다. 역시 장송(葬送)의 자리를 마련하지 않으면 안 될 것이다. 게다가 그것은 일반 참석자를 무조건적으로 받아들이는 것이어야 한다. 그것이 조문객의 반응을 접한 가족·친지들의 공통된 생각이었다.

이렇게 해서 타로 씨의 생일인 2월 26일에 '작별의 모임'을 실시한다는 결정이 내려졌다. 1월 중순의 일이었다고 생각한다. 다행히 고 테시가와라 히로시(勅使河原宏) 씨의 호의에 의해 소게츠 회관이 행사장으로 제공되었다. 로케이션, 이미지, 기능, 모두 더할 나위 없었다.

하지만 당일까지 앞으로 1개월 정도밖에 시간이 없었다. 나는 서둘러 준비에 착수했다.

여건 파악과 컨셉 구축

이벤트 제작은 여건을 파악하는 것으로부터 시작한다. 여건이란 그 프로젝트 고유의 요건, 즉 계획을 입안할 때 전제로 해야 할 조건으로, 클라이언트의 목적과 의향, 상정된 대상과 장소, 예산이나 행사장의 조건 등 다양한 것이 있다. 그것들을 감안하면서 어떤 스타일과 구조를 가지는 이벤트가 적당하고 효과적인가를 판단해가는 것이다.

이 프로젝트의 경우, 여건으로 정해져 있던 것은, 이벤트의 유형(장례식이라는 것), 클라이언트의 의향('장례식'으로는 하지 말 것), 행사장, 날짜뿐이었다. '장례식이 아닌 장의(葬儀)'는 선문답 같은 이야기였으므로, 어쨌든 단서를 찾아내려고 나는 몇 번이나 소게츠 회관에 발길을 옮겼다.

행사장으로 사용될, 이사무 노구치가 설계한 로비를 반복해서 오가는 동안에, 왠지 모르게 새로운 것이 생길 것 같은 느낌이 들었다. 노구치가 설계한 제일급의 예술 작품 로비 공간이 힌트를 주는 것 같은 느낌이 들었기 때문이다.

여건을 이해하면 다음엔 컨셉을 구축한다. 컨셉은 이벤트의 등뼈가 되는 것이다. 그 이벤트의 성격을 결정하고 기본 구조를 규정해, 프로그램의 내용과 연출을 유도한다. 이벤트의 품질은 컨셉의 품질에 비례한

'축장(祝葬)' 행사장 풍경 — 오카모토 타로를 체감하는 장치로서의 공간

다. 프로듀서의 첫번째 어려움이 이 컨셉의 입안이다.

'장례식'이 아닌 장의란 무엇인가? 타로 씨의 장의에 어울리는 구성이란 어떠한 것인가? 참가자는 무엇을 원하고 있는가? 어떠한 프로그램이 진행되기를 바라는가?……….

여러 가지 생각 끝에 겨우 도달한 결론은 실로 단순한 것이었다. 공간의 모든 것을 오카모토 타로의 단편(斷片)으로 다 메워, 방문객을 타로 씨의 공기로 감싼다. 공간을 돌아다니는 가운데 타로 씨가 남긴 흔적들을 통해 타로 씨와 만나, 한 사람 한 사람이 타로 씨의 기억을 재차 가슴에 새기게 한다. 그리고 마지막에 이별을 고한다. 타로 씨가 피하고자 한 위선적인 슬픔을 연출하는 무대가 아니고, 타로 씨와의 대화를 즐기기 위한 밝고 다이나믹한 공간을 제공한다. 그것뿐이었다.

이 컨셉을 기본으로 해, 공간 구성의 기본적인 아이디어와 연출 방법을 굳혀갔다. 명칭도 '오카모토 타로와 말하는 광장'으로 했다. '오카모토 타로를'이 아니고, '오카모토 타로와'라는 말에 의미를 담았다.

정면의 흰 벽을 작품의 콜라주로 가려, 시야를 원색으로 바꾼다. 계단 상태의 공간에 타로 씨의 조각이나 가구를 랜덤하게 배치해, 공간 전체를 작품들로 메운다. 타로 씨의 표정을 큰 그래픽으로 공중에 띄운다. 타로 씨가 도발하는 모습을 여기저기 설치된 모니터로 비추어, 타로 씨의 목소리를 장내 전체에 흐르게 한다. 상징적인 타로 씨의 사진을 프로젝터로 천정 가득히 투사한다……. 모두 타로 씨를 체감케 하는 장치로서, 타로 씨와의 대화를 환기시키는 매개로 구상한 것이다.

하지만 이 컨셉을 성립시키기 위해서는, 어떻게 해서라도 먼저 해결해야 하는 문제가 있었다. 그것은 한 장의 사진이었다. 마음속으로 구상한 공간 구성에 꼭 맞고 사람들의 인상에 남을 만한 특별한 '생전의 초상화'가 필요했다. 극단적으로 말한다면 이 플랜의 성공 여부가 이 문제에 걸려 있었던 것이다.

어쨌든 전람회는 아니니까 공간 그 자체가 '장송(葬送)'을 표현하고 있을 필요가 있다. 바꾸어 말하면 행사장 안에 한 걸음 발을 디딘 순간에, 자신이 장송의식에 함께하고 있다는 것을 자각하게 해주는 구조가 필요하다.

판에 박은 듯한 장례식이라면 이 조건은 자동적으로 해결되지만, 이번은 그렇지 않다. 장소가 화랑이고, 연출도 예술적 연출이기 때문에, 아무것도 하지 않으면 예술작품의 이미지에 압도되어 버릴 것이다. 장송 공간인 것을 명확하게 나타내는 장치가 필요했다. 즉 '두 번 다시 돌아오지 않을 타로 씨'의 상징적 이미지를 공간이 스스로 표출하게 해야 한다. 그것이 장의인 것을 표명하는 최소한의 요소가 된다.

그래서 나는 노구치가 설정한 동선을 큰 폭으로 변경해 행사장 전체를 비스듬하게 관통하는 축선(軸線)을 만들고, 그 초점에 위치하는 유리창에 등신대의 타로 씨를 떠오르게 하기로 했던 것이다.

손님이 행사장에 들어서는 순간에, 상징적인 성격의 강렬한 축선을 의식하게 만들고, 그 초점에 떠나가는 타로 씨를 위치시키는 연출이다. 그러니까 문제는 유리에 투사할 타로 씨의 사진이었다. 아무리 좋은 사진이라도 단순한 초상화나 기념사진으로는 이 공간의 의미나 메시지를 전하지 못한다. 어떻게 해서라도 '떠나가는 타로 씨'의 이미지를 잘 나타내는 사진이 필요해다.

다행스럽게도, 이 이미지를 이야기하고 찾아달라고 했더니, 훌륭할 정도로 잘 어울리는 작품이 발견되었다. 장난꾸러기가 미소를 띄우며 '빠이빠이'라고 말하고 있는 듯이 뒤돌아보는 타로 씨의 전신 사진이었다. 놀라울 정도로 이 공간의 이미지에 꼭 맞았다. 이 사진이야말로 아무래도 유머와 위트를 사랑한 타로 씨의 '생전의 초상화'로 적당하다. 사진작가 나라하라 가즈타카(楢原一高) 씨의 이 작품이 없었다면 이 공간은 성립되지 않았다.

오카모토 토시코는 후에 이렇게 쓰고 있다.

그 여운을 가슴에 꼭 껴안고 나온 사람들의 눈앞에, 천정까지 높게 드리워진 유리, 그 높이 달려가려는 오카모토 타로의 뒷모습. 문득 뒤돌아보고, "야!"라고 말할 듯이, 그대로 천공으로 달려갔다.

이것은 안성맞춤이었다. 결정적 순간이라는 말이 있지만, 이것은 결정적 효과라고 칭할 만큼 훌륭했다['체감 미술관' 히라노 아키오미(平野曉臣)].

이 사진을 손에 넣은 것으로 구상하고 있던 컨셉이 완전하게 기능할 것이라고 확신했다.

'축장(祝葬)' 행사장 풍경 — 영정

설계와 제작

전체의 기본 구성이 마련되면, 다음은 설계의 단계다. 이 시점에서 남겨진 시간은 이미 1개월도 채 안 남았다.

이 구상을 실현하기 위해서는 조작, 조형, 영상, 조명, 그래픽 등 몇개 분야의 전문가의 협력이 필요하다. 그래서 영상 디렉터, 조명 디자이너, 그래픽 디자이너 등, 이 일에 적절한 인재를 캐스팅하여 팀을 짜고, 강행 설계 작업에 들어갔다. 조각이나 그래픽 등의 공장 제작에 열흘은 필요하기 때문에, 설계를 2주일 안에 끝내지 않으면 안 됐다. 평소의 속도와는 전혀 다른 이례적 상황이었다.

한편, 행사장 조건과의 세부 검토를 실시하지 않으면 계획은 리얼리티를 갖추지 못 한다. 그래서 소게츠 회관의 시설담당자에게 계획안을 설명하고 승인을 받는 것과 아울러, 여러 가지 조건을 확인했다. 그 결과, 예를 들어, 계획안을 채울 만한 전원(電源)이 공급되지 않는다, 천정에 물건을 걸 수 있는 장치가 없다, 반입구가 좁다는 등의 다양한 제약 조건이 드러났다. 그래서 이를 설계에 반영시켜, 각각 발전기를 가지고 온다, 그림·영상물 등을 천장에 매달기 위한 철골 프레임을 준비한다, 현장에 가지고 들어오는 구조물을 작게 분해(prefab)해 수송한다는 식의 대책을 강구하면서 실시 계획안을 굳혀갔다.

그리고 행사장측과 현장시공상의 조건에 대해서도 확인해야 한다. 설치 작업은 언제부터 시행할 수 있는지, 작업시간은 몇 시까지 가능한지, 작업 장소로 어느 범위까지 사용할 수 있는지 등이다. 이것은 시공 조건에 따라 당연히 시공에 필요한 인원이나 코스트가 바뀌므로, 시공 발주 여건을 예측하기 위해서이다.

설계와 시공 조건이 확정된 시점에서, 공사비를 산출하고, 예산을 조정해 발주했다. 아슬아슬하게 시간을 맞췄다.

실은 구상 자체는 순조롭게 마무리할 수 있었지만, 설계 단계에서 해결해야 할 구조적인 과제가 몇 가지 남아 있었다.

그 하나는, 공간이 방출하는 이사무 노구치의 냄새를 어떻게 지울 것인가 하는 것이었다. 이 공간은 전체가 노구치의 돌 조형으로, 예술 작품으로서의 강렬한 개성을 발산하고 있다. 하지만 당일만은 어떻게 해서든지 노구치 색을 불식시켜, 타로 씨로 가득 찬 공간으로 바꾸어야 한다.

이에 대해서는 결국 하나의 작품인 공간 그 자체를 흰 옷감으로 다 가려서 해결하기로 했다. 작품을 부드러운 옷감으로 싸버림으로써 노구치의 흔적을 지운다. 게다가 가설 계단이나 통로를 덧붙여 원래의 공간 구성을 큰 폭으로 변경하고, 마루를 원색으로 치장하는 등 공간의 이미지를 대폭 바꾸었다. 이것으로 오카모토 타로를 맞이할 준비가 되었다.

또 하나, 큰 문제가 있었다. 그것은 어떻게 하면 참가자가 '장의'에 '참례'했다는 실감을 얻을 수 있는가 하는 것이다. 실감을 표현할 수 없

분향 대신에 범종을 친다.

다면 이 행사를 실시하는 의미가 없었다.

　이미 공간 그 자체로 '장송'의 이미지를 표출하는 것에는 자신감이 있었지만, 참가자 역시 스스로의 '참례'를 확인하는 수단이 필요할 것이라고 생각되었다.

어떤 요소가 갖추어지면 사람들이 그것을 장의라고 인식하는가?

생각한 끝에 그것은 '기장(記帳)', '생전의 초상화', '분향(焚香)', 이 세 가지가 틀림없다는 생각에 도달했다. 이것을 멋대로 '장의의 3점 세트'라고 명명해 프로그램에 짜넣기로 했다.

이미 최고의 생전 초상화를 손에 넣었고, 여러 가지 색의 펜과 도화지를 준비해 그림이나 메시지를 마음대로 그리게 해주는 것으로 기장 문제도 일단 해결을 보았지만, 문제는 분향이었다. '장례식으로는 하지 않는다'고 했으니, 분향이나 헌화를 할 수는 없다. 그것들을 대신하는 어떠한 다른 몸짓이 필요하다.

그래서 '생전의 초상화'의 근처에 캄캄한 원통형의 공간을 설치해 그 안에서 타로 씨가 만든 범종을 쳐주기로 했다. 작별의 의식으로서 종을 친다. 이것은 예상했던 것 이상으로 실감이 있었다.

이 작품의 이름은 '환희'라고 한다. 장의의 클라이맥스에 환희가 있다. 아무래도 타로 씨답고 좋았다.

설계가 끝나 제작 단계에 들어가면 매일 세세한 문제까지 협의를 하게 된다. 이 프로젝트는 여하튼 시간적으로 빠듯한 상황이었기 때문에, 문자 그대로 연일 협의가 계속되었다. 사용하는 재료를 선택하거나 색을 결정하거나 하는 물리적인 사양 결정도 있었으며, 영상의 마무리 상황을 대강 체크해서 수정을 지시하는 소프트웨어 측면에서의 작업도 있었다.

시공 방법을 승인하는 것도 프로듀서의 일이다. 그곳은 소게츠류(草月流)의 본부로 매일 사용되고 있는 건물이므로, 장기간 천천히 공사를 실시할 수는 없었기 때문에 밤을 새워 만들어내야 했다. 디스플레이 회사의 현장 책임자와 함께 문제점을 뽑아내서, 작업의 순서를 채워갔다.

결국, 필요한 직능을 한번에 모아, 하나의 작업이 끝나는 것을 다음 직공이 뒤에서 기다리고 있다가 바로 다음 작업으로 넘어가는 인해전술을 선택하게 되었다. 그 좁은 공간에 100명 가까운 직공이 움직였던 것

‘축장(祝葬)’ 행사장 외관 — 장례식장답지 않은 아름다운 전경

으로 기억된다.

한편, 이 단계에서는 운영 계획도 필요하게 된다. 방문객이 어디에 줄을 서도록 하고, 어디에서 접수를 받아 어떻게 유도할지 등, 운영의 기본조건을 상정한 토대에서 필요한 요원의 수와 직무를 검토해간다. 물론, VIP 대접은 어떻게 할지, 돌발적인 사태가 발생하면 어떻게 할지 등 당연히 미리 정해두어야 할 운영상의 과제에 대해서도 방침을 굳혀 둔다.

새로 도우미들을 채용하여 교육하고 있을 시간은 물론 없었으니까, 평소에 도우미들의 지도·관리하는 ‘강사’들을 모아 현장에 보냈다. 그들은 프로이기 때문에 스스로 생각하고 스스로 처리해준다. 그 일은 당일에 자료를 건네주고 간단히 브리핑을 하는 것만으로 끝났다.

'축장(祝葬)' 행사장 내부 — 오카모토 타로의 공기에 감싸인 대화공간

이 외에도, 관계자와 방문객을 한눈에 구별하기 위한 유니폼, 관객 유
도안 내용의 사인, 각종 비품 등, 필요한 것을 갖춰 당일을 맞이할 준비
가 끝났다.

축장(祝葬) — 상식을 뒤집은 장송 공간

불과 수 시간 공개하기 위해 만들어진 이 장송 공간에, 많은 참례 손님이 방문했다. 모두 편안한 미소를 띄우고 즐거운 듯이 타로 씨와의 만남을 가졌다. 누구 한 사람 눈물을 흘리지 않은 것이 자랑이다.

행사장을 제공해준 테시가와라 히로시 씨가, "소게츠 회관을 이만큼 멋지게 사용해준 사람은 처음이다. 참 좋다"고 웃음 띤 얼굴로 칭찬해줬다는 말을 전해들었다.

자발적으로 참례해주신 뉴스 캐스터 치쿠시 테츠야(筑紫哲也) 씨가 당일밤의 텔레비전 프로그램에서 '축장(祝葬)'이라는 말을 전해주었다. 나에게 있어 더할 것 없는 최고의 찬사였다. 타로 씨의 마지막 순간에 함께한 사람으로서 책임을 다했다는 생각이 들었다.

불과 하루만의 프로젝트였지만, 대단한 주목을 받아 많은 분으로부터 칭찬의 말을 들었다. 이름만 대면 알지 못할 사람이 없는 저명한 분도, 아무쪼록 자신의 장례식 때에도 부탁한다고 말했다.

물론 기뻤던 것이기는 하지만, 칭찬받으면 받을수록, 왠지 위화감을 느꼈던 것도 사실이다. 왜냐하면 무엇인가 특별한 일을 했다고 하는 감각이 나에게는 없었기 때문이다. 평상시와 같은 순서와 기술로 평상시와 다름없이 '이벤트'를 만들었던 것뿐이니까.

그러나 생각해보면 그토록 많은 직능을 코디네이트하거나 불과 하루만에 그 공간을 구축하거나 할 수 있는 장의사(葬儀社)는 아마 없을 것이다. 이벤터에게는 일상적인 것이라도 장의사들은 생각할 수 없는 것임에 틀림없었다.

그리고 무엇보다 그들에게는 '새로운 장의의 스타일'을 제안해야만 하는 이유가 없다. 아마도 그들의 관심은 종래부터 정형화된 틀의 합리화와 부가가치화이며, 틀 그 자체의 파괴나 재구축은 아닐 것이다.

그렇게 생각하면 장의와 이벤트에서는 목표로 할 방향이 대략 정반대라는 것을 알 수 있다. 전자가 형식의 효율적인 소화를 생각하는 데 반해, 후자는 언제나 '새로운 무엇인가'를 생산하려고 노력하고 있다. 전자가 매우 한정된 스태프로 평범하게 일을 해내고 있는 데 비해, 후자는 그때마다 다른 스태프를 인솔해 '프로젝트'라고 하는 업무를 수행한다. 이벤트는 언제나 컨셉이 다르고, 프로그램이 바뀐다.

이벤트 프로듀서의 일을 한마디로 하면, 다음과 같은 것이다.

'프로젝트의 틀을 만들고 그것을 주위에 해설하고 많은 전문가를 인솔해서 예산과 공사기간을 지키면서, 당초 목적을 완수시키는 것'

요컨대, 이벤터는 지휘자와 같이 스스로 소리를 내지는 않는 대신, 많은 프로패셔널의 힘을 잘 묶어서 전체가 하나의 화음이 되도록 조율하는 일이라고 생각하면 된다.

프로듀서의 업무로 제일 중요한 것은 여러 가지 전문가의 공동작업을 제대로 통솔하는 것이다. 그리고 그것이야말로 프로듀서의 존재가치인 것이다.

요점은 인적(人的) 네트워크

프로듀서에게는 프로젝트의 파워를 높여주는 뛰어난 전문가를 캐스팅할 수 있는지 여부가, 일의 품질을 결정짓는 중요한 포인트가 된다. 프로듀서로서의 직능을 지탱하는 가장 기본적인 요소는 틀림없이 '인적 네트워크'이다. 그러니까 '지식과 기술력을 신뢰할 수 있는 수준을 갖춘, 언제라도 협력해주는 전문가'와 얼마나 폭 넓은 영역의 네트워크를 형성하고 있는가 하는 것이 결정적 수단이 된다.

내가 생각하기에도 정말로 나는 혜택을 많이 받고 있다고 생각하는데, 전화만 걸면 뭐든지 가르쳐주는 전문가들을 나는 많이 알고 있다. 생각해낸 아이디어를 이야기하면, 리얼리티가 있을지, 우선 무엇을 해결해야 할지 등을 가르쳐주고, 부족한 곳이 있으면 메워준다. 자기보다 적당한 상담 상대가 있다고 생각하면, 그 자리에서 소개해준다. 그들은 모두 자신이 그 일에 참여하게 될지를 묻기 전에 무조건적으로 협력해준다. 물론 비즈니스 이야기가 되어도 이 관계는 바뀌지 않는다. 아낌없이 아이디어를 제공해주고, 비지니스를 넘어 최선을 다해준다.

말할 필요도 없지만, 이러한 신뢰관계가 하루만에 이뤄지는 것은 아니다. 명함 교환을 했다고 해서 그렇게 되지는 않는다. 함께 일을 진행시키는 가운데, 서서히 양성되어가는 것이다. 따라서 시간이 걸린다. 간단하게는 손에 들어오지 않기 때문에 재산이 된다.

다만, 한 번 신뢰관계가 형성됐다고 해서 안심할 수만은 없다. 프로의 세계는 냉엄하기 때문에, 이런 종류의 인간관계를 유지할 수 있는 것은 서로의 기술력에 대한 존경과 신뢰가 있는 동안뿐이다. '저 녀석은 안 된다, 시시하다'고 생각되면 탈락할 수밖에 없고, 방심하면 프로듀서라도 따돌림을 당하게 된다. 그 누구도 자기자리만 지키고 있으면 그런 '친구 클럽'을 유지할 수 있다고 생각하지는 않는다. 계약관계나 주종관계가 없는 대신에 거기에는 적당한 긴장감이 있다.

유연하고 모호한 조직을 이끌고 프로젝트를 진행한다

실은 이러한 소프트웨어로 모호한 인간관계를 인솔해 프로젝트를 진행시켜야 하는 점이 이벤트 매니지먼트에서 가장 어려운 점이다. 각 프로젝트마다 멤버를 바꾸어 프로젝트 팀을 편성하는데, 그 핵심적인 역할을 감당하는 사람은 디렉터지만, 플래너나 디자이너라도, 대부분은 독립된 자유로운 입장이다. 크리에이터의 대부분은 취약·소규모의 프로덕션에 속해 있다.

게다가 우수한 인재일수록 바쁘고, 프라이드가 높다. '나는 돈에 넘어가는 것 같은 일은 하지 않는다'라는 타입이 많은 것이다. 당연히 개성이나 스타일을 강하게 주장하는 크리에이터가 있는 쪽이 더 재미는 있지만, 때때로 그들이 서로 부딪치기 때문에 통제는 어려워진다. 그러나 그러한 인재를 잘 통솔할 수 있는지 여부로, 이벤트의 품질이 정해지는 것 또한 확실한 일이다.

즉 자본상으로나 조직상으로나 상호관계가 없는 사람들을 모아 원만한 조직을 구성하는 수단과 적절한 논리와 수단으로 그들을 통제하는 능력이 이벤트 운영에 있어서 매우 큰 과제인 것이다. 그것이 같은 '프로젝트형'의 사업에서도 업무 명령을 통해 자유롭게 인재를 움직이거나 강제하거나 할 수 있는 '대기업의 상품개발'이나, 압도적인 지배력으로 하청 직원들을 억누르는 '종합건설회사의 현장 관리'와는 다른 점이다.

사실을 말하면, 이벤트가 가지는 '유연하고 헐렁한 인간관계를 인솔해 하나의 프로젝트를 구축해간다'는 구조는 앞으로의 비즈니스에 기본 스타일이 될 가능성이 있다. 지금 화제가 되고 있는 것은 '워크 쉐어링(work sharing)'이지만, 머지않아 좀 더 융통성이 높은 '이벤트형'에 도달할지도 모르는 것이다.

사실, SONY의 이데(井出) 회장은 다음과 같이 말하고 있다.

기업은 좀 더 엄한 경쟁에 노출되는 것이 필요하고, 그 속에서 새로운 고용 형태를 생각해내야 한다. 프로젝트의 발족 시에 인재를 모아 끝나면 해산하는 형태가 향후 확산될 것이다. 거기에는 연봉이라는 개념도 없다(≪일본경제신문≫ 2001년 12월 30일).

그러니까 일반적인 프로젝트 매니지먼트와는 다른 '소프트 프로젝트 (soft project)'를 위한 관리 이론과 통제 원리가 있으면 하고 바라지만, 유감스럽게도 아직은 그런 것을 찾지 못했다.

다만 우수한 프로듀서에게는 예외없이 '통솔력'이 있다. 많은 크리에이터를 통솔하면서, 프로젝트를 깨뜨리지 않고 끝까지 진행시키는 추진력과 같은 것이다. 사람에 따라서 방식은 다르지만, '진정한' 프로듀서는 그러한 통솔력이 없으면 해낼 수가 없고, 실제로 그것을 가지고 있다.

아마추어의 눈을 가진 전문가

어쨌든, 적어도 프로듀서에게는 다양한 전문가와 대등하게 대화를 나눌 수 있는 기술적인 소양이 필요하다.

실은 전문가가 모인 회의에서는 때때로 '통역'이 필요하게 되지만, 그것도 프로듀서의 일 중 하나이다. 영상 시스템의 전문가, 건축 구조의 전문가, 무대 연출의 전문가, 연출 조명의 전문가……. 경우에 따라서는 시대고증 전문가나 생물학 전문가도 들어가거나 한다. 그러한 전문가들은 가치관도, 상식도, 사용하는 말도, 각각 모두 다르다. 그러니까 같은 토대에서 논의하기에는 통역이 필요하다.

그때 중요한 것은 프로듀서가 하나의 전문 영역의 논리나 상식에 구애되어서는 안 된다는 것이다. 항상 중립적인 입장과 발상으로 판단하지 못하면 프로듀서는 일을 감당해낼 수 없다.

원래 모든 프로듀서는 자신의 홈 그라운드를 가지고 있다. 주로 경력 (career)을 쌓기 시작한 전문 분야가 그것이다. 디자인 출신의 사람도 있고, 부대행사가 전문이었던 사람도 있다. 나는 건축 출신이니까 이 세계에 들어가서 맡은 최초의 일은 시설 계획이었다. 누구라도 출신 분야에 대한 깊은 생각이나 공감이 있기 때문에 자칫하면 그 쪽으로 기울게 되기 마련이다.

즉 특정 분야에 정통한 나머지 치우친 판단에 빠질 위험이 있다는 것으로, 그렇게 되어서는 균형이 잡힌 프로젝트 관리가 불가능하다. 이 의미는 프로듀서가 틀림없이 만능이어야 한다는 것이다. 항상 만능선수로서의 자세를 유지하는 전문가라고 해도 괜찮을 것 같다.

'아마추어의 눈을 갖고 전문가로서 판단을 내릴 수 있는 프로패셔널' — 아마 이것이 프로듀서의 이상적인 모습일 것이다.

가장 중요한 자질은 '균형 감각'

그렇게 생각하면, 판단의 기준으로 삼아야 하는 것은 하나밖에 없다. '상식'이다. 불특정 다수의 사람과 접촉하려니까, 이 외의 판단 기준이 있을 리가 없다. 프로듀서의 일이라는 것은 '보통 감각'으로 균형 있게 키를 잡고 가는 것이다.

'실시의도와 관람객의 기대'의 밸런스, '프로그램 구성'의 밸런스, '예산배분'의 밸런스, '내용과 비용'의 밸런스, '비용과 효과'의 밸런스 …….

프로듀서에게 있어 가장 중요한 자질은 '균형 감각'이다. 그리고 균형을 잡기 위해서는 누구보다 프로젝트에 열중하면서도, 또 한 사람의 자신이 조금 떨어진 곳에서부터 냉철한 눈으로 전체를 내려다보는 것이 필요하다. 이런 면에서 프로듀서에게는 두 개의 '눈'이 필요하다고도 할 수 있다.

이벤터의 두 가지 입장 — 크리에이터와 매니저

'창조적인 직업이라 부럽다'고 하는 말을 자주 듣는다. 확실히 나의 업무의 반은 '크리에이터'의 범주에 들어갈 것이다. 컨셉을 생각하거나 공간을 디자인하거나 연출을 음미하거나 하고 있을 때의 나는 '창조하는' 것에 열중하고 있다. 나에게 있어 가장 즐거운 시간은 '어떤 것을 만들까'를 이리저리 생각하고 있을 때다.

하지만 그것은 나의 일의 한 면에 지나지 않는다. 시간 배분의 비율로 말한다면 겨우 20%정도일 것이다. 그 외에 대부분의 시간은 프로젝트의 관리나 조정에 소비하고 있다. 프로듀서는 예산, 공정, 효과, 리스크를 엄격하게 관리하는 사람으로서, 여건을 충족시키면서 순조롭게 진행되는 이벤트를 개막일까지 마무리해야 할 책임을 지고 있기 때문이다.

아무리 플랜이 우수해도 개최 시간에 맞추지 않으면 무용지물이 되고, 아무리 참신한 아이디어라도 안전성에 문제가 있으면 변경할 수밖에 없다. 즉 프로듀서로서의 나는 프로젝트 그 자체의 진행을 냉정하게 통솔하는 '프로젝트 매니저'인 것이다.

마찬가지로 이벤트 제작의 핵심에 있는 사람은 모두 많든 적든 크리에이터와 매니저의 두 가지 얼굴을 가지고 있다. 요컨대 '기업가(起業家)'와 '경영자'를 겸하는 것과 같은 식이다. 프로젝트를 시작할 때는 기업가이고, 이후로는 경영자가 된다.

이 틈 사이에 있는 것이 나에게는 매우 즐거운 일이다. 이 일을 재미있다고 느끼는 가장 큰 이유는 이것일지도 모른다.

우선 무엇보다도, 스스로 만들어 표현할 수가 있다. 창조성이 요구되기 때문에 크리에이터로서의 기쁨이 있다. 게다가 이벤트는 그것을 큰 사회성 속에서 실현할 수 있다는 것이 좋다. 몇만 명, 몇십만 명이라는 관람객을 상대로 하기 때문에 당연히 보람도 있다. 국제박람회 정도의 수준이 되면 상대로 하는 관람객이 몇백만 명, 몇천만 명의 규모가 된다. 크리에이터이기 때문에 맛볼 수 있는 행복이다. 물론 부담감도 크지만, 그것이 마지막에는 성취감으로 바뀐다. 취미로 무언가를 만드는 것 역시 즐거운 일이지만, 그것과는 다른 묘미가 있다.

게다가 단순히 아이디어를 제안할 뿐만 아니라, 그것을 실제로 만들고 현장에서 운영하는 것까지 직접 다룰 수가 있다. 말하는 것만으로 끝나는 것이 아니라, 일의 마지막 순간까지 모두 자신의 눈으로 지켜볼 수 있다. 이벤트 프로듀서라는 입장은 문자 그대로 제로에서 백(100)까지, 모든 프로세스에 관여할 수가 있는 것이다.

당연한 것 같지만 이렇게까지 할 수 있는 일은 매우 드물다. 창조적인 분야에도 여러 가지가 있지만, 그 대부분은 대단히 분업화되어 있기 때문에, 이러한 입장을 얻을 기회는 그리 많지 않다. 하지만 이벤트의 경우는 지금도 기본적으로는 일괄적으로 업무를 진행할 수 있다. 아직 미성숙하고 원시적일 뿐이라고 말할 수도 있지만, 그렇기 때문에 오히려 크리에이터에게는 원시적인 기쁨이 남아있다고 볼 수 있다.

게다가 관람객의 생생한 반응이나 표정을 직접적으로 접할 수가 있다. 반복해서 강조하고 있듯이, 이벤트에서는 자신이 보낸 메시지가 어떻게 수용되고 있는지를, 실시간으로 볼 수가 있다. 같은 공간에 정보를 수용하는 사람인 관객과 제공하는 사람인 자신이 서는 것이 허락된다.

이 인터랙티브가 가능하다는 것이 공간미디어의 최대 매력이자, 매스미디어에는 없는 특성이다. 텔레비전 카메라 앞에서 말하는 것에는 감동이 없지만, 이벤트는 제작자에게도 감동을 준다. 이것들은 모두, 크리에이터와 프로젝트 매니저라는 두 개의 역할을 함께 맡고 있기 때문에 얻을 수가 있는 것이다. 이벤트 만들기가 재미있는 것은 이 때문이다. 이렇게 혜택받는 환경은 드물다.

그러나 양자가 언제나 공존하는 관계라고는 말할 수 없다. 잊어서는 안 될 것이 프로듀서는 의뢰인의 이익을 위해서 일한다는 당연한 사실이다. 의뢰인으로부터 위임을 받아 의뢰인을 대신해 프로젝트를 대리인으로서 담당하는 이상, 판단의 기준이 되는 것은 의뢰인의 이익밖에 없다. 프로듀서의 일은 표현자로서 자신의 욕망을 채우는 것이 아니다. 그 점이 아티스트와 결정적으로 다른 부분이다. 그렇기 때문에 크리에이터로서의 자신과 프로젝트 매니저로서의 입장이 때때로 어긋나거나 분열되기도 한다.

예를 들어 크리에이터로서의 나는 '좀 더 모험해보고 싶다'고 생각하고 매니저로서의 나는 '더 이상은 안 된다. 의뢰인에게 이익이 되지 않는다'라고 판단하는 일이 자주 있다. 물론 그런 경우에 우선하는 것은 프로젝트 매니저로서의 판단이다.

그러나 그것이 '크리에이터의 패배'를 의미하는 것은 아니다. 이벤트는 예술과는 분명히 다르다. 프로듀서의 사명은 어디까지나 목적의 달성이지, '작품'을 만드는 것이 아니다. 이 의미로 말하면 크리에이터와 매니저의 공존관계에는 어떠한 합리적 기준이 있다.

그렇다고는 해도, 역시 '두 가지 입장'에 놓여 있다는 것에는 변함이 없다. 본래 크리에이터는 자신이 '만드는' 입장이고, 매니저는 타인에게 '만들게 하는' 입장이다. 바꿔 말해 매니저는 일을 '넘겨주는' 측이고, 크리에이터는 그것을 '받는' 측이다. 처음부터 벡터의 방향이 반대이다.

하지만 양쪽을 절충시키는 객관적인 방법은 없다. 따라서 스스로를 엄격하게 조율해나갈 수밖에 없다. 크리에이터로서의 욕망을 이길 수가 없다면 프로듀서로서 실격이고, 반대로 관리하기 쉬운 것에 사로잡혀 무난하고 지루한 것 밖에 만들 수 없으면 크리에이터의 역할은 반납해야 한다.

두 가지 역할을 가진 입장이라는 것은 좋은 결과를 가져올 가능성이 있는 반면에, 어중간한 관계에 빠지면 오히려 마이너스로 작용하게 된다. 평형감각을 유지하기 위해서는 항상 스스로의 위치를 계속 측정할 수밖에 없다. 이벤트 프로듀서에 있어 '균형 감각'이 중요한 것은 이 때문이다.

참고로 '겸임하는 역할'은 사람마다 각기 차이가 있다. 나는 프로듀서이므로 나의 두 가지 역할은 '크리에이터와 프로젝트 매니저'가 되지만, 그밖에도 '디자이너와 디렉터', 혹은 '엔지니어와 코디네이터' 등 여러 가지 타입의 사람이 있다.

이벤트 현장에서는 때때로 '외부로부터의 지원'이나 '인수인계'가 잘 되지 않기도 하고, 중심 스태프가 바뀌면 혼란이 초래되기도 하지만, 그것은 자질이나 일의 진행방식이 사람에 따라서 다를 뿐만 아니라, 프로젝트 속에서 담당하는 기능과 역할이 한 사람 한 사람 차이가 나기 때문이다. 요컨대 겸하고 있는 역할이 조금씩 다르다는 것이다.

지킬 박사와 하이드

이와 같이 프로듀서는 직능이란 차원에서 두 가지 입장을 겸하고 있기도 하지만, 실은 자질의 면에서도 상반되는 두 개의 성격도 겸비해야 한다.

배에 비유해서 말한다면, 많은 관계자를 하나의 배에 태워 모두 계속해서 같은 방향으로 노를 젓도록 분위기를 조성하는 것도 프로듀서의 일이라고 할 수 있다. 따라서 현장에서 나는 가능한 한 일의 긴장감을 늦추지 않도록 이끄는 데 노력한다. 그런 때는 물론 '실패 따위는 있을 리 없다'는 표정을 짓고, 실제로도 '어떠한 일이 있어도 할 수 있다'라는 자신감이 솟아오른다. 옆에서 보면 틀림없이 '정열적인 낙관주의자'로 여겨질 것이다.

　그러나 한편, 프로듀서의 역할이란 '수많은 조건을 통제하는 것'이기에, 많은 선택사항 중에서 합리적인 방법을 냉정하게 선택해서 취하는 '치밀하고 논리적인 사고'가 불가결하다. 그러니까 사무소에 있을 때의 나는, 대체로 혼자서 고민하고 생각하는 시간이 많다. 물론 실패나 트러블에 대해서도 여러 가지 검토한다. 시뮬레이션을 반복하여 확인을 거듭해 실패나 장애에 대비해 보완책을 생각하거나 백업을 준비하기도 한다. 돌다리를 몇 번이나 두드리지만, 그런다고 해서 불안감이 없어지는 것은 아니다. 걱정은 개막하는 날까지 계속된다. 그런 면에서 볼 때 나는 누가 봐도 '겁 많은 비관주의자'이다. 이 두 개의 얼굴은 내 속에서 지킬 박사와 하이드처럼 항상 공존하고 있다.

　혹은 '참모(參謀)'와 '중사(中士)'의 두 가지 면도 있다. 최근에는 이벤트를 둘러싼 환경이 더 엄격해지고 있어 여건 마련이 어려워지고 있기 때문에, 계획의 난이도는 높아질 뿐이다. 고도화되고 복잡해지는 이벤트에는 과학적인 접근법이 불가피해지고, 영감이나 경험에 의지하는 것만으로는 품질과 효과를 보장할 수 없게 되었다. 따라서 점차 냉정하고 합리적으로 일을 진행시키는 '냉철한 프로젝트 매니저'가 기대되고 있다.

　그러나 한편에서는 많은 스태프들을 잘 통솔하여서 현장을 능숙하게 이끌어나가 트러블은 어떻게 해서라도 수습해야 한다. 말하자면 '통솔력이 있는 현장 감독'이 되지 않으면 현장은 순조롭게 움직이지 않는다는 것이다. 즉 '참모'와 같은 발상과 '중사'와 같은 통솔력이 함께 요구된다. 그리고 실제로 뛰어난 프로듀서라면 누구나 이 두 가지의 자질을 겸비하고 있다.

　그리고 무엇보다 '프로'이면서 '아마추어'인 것이 필요하다. 프로듀서는 넓은 의미에서의 '기술'을 제공하는 것으로 대가를 받고 있다. 생각해보면, 완전히 반대인 두 개의 자질을 겸비하는 것 역시 '기술'의 하나라고 말할 수 있다. 기술을 파는 프로인 이상, 기술을 닦는 것 이외에는 살아남을 길이 없다. '프로'라는 신념과 자부심을 가지고 기술을 제공할 수 없다면, 이벤터를 자처할 만한 자격이 없다.

다만, 그 때 가슴속 깊이 새겨두지 않으면 안 될 것이 있다. 우리들이 대하고 있는 상대가 결코 일부의 특별한 사람들이 아니라는 것이다. 이벤트의 대부분은 불특정 다수의 보통 사람들을 위해서 있다. 게다가 그 대부분은 사적인 시간을 이용해 여가를 즐기고 있는 사람들이다.

많은 사람들이 '즐겁다' 혹은 '재미있다'고 느끼도록 하는 것이 우리들의 일이고, 많은 사람들에게 받아들여지고 호응을 받는 것 만들기를 기대하고 있다. 따라서 극소수의 사람들로부터 아무리 높은 평가를 받을 수 있었다고 해도, 관람객의 대부분이 '시시하다'고 느꼈다면 그것은 실패한 이벤트이다.

그러니까 이벤터에게는 보통 감각, 바꾸어 말하면 '아마추어의 시각'이 필요하다. 프로젝트의 방향을 확정할 때의 기본은 이것밖에 없다. 보통 감각을 모르게 되면 이벤트를 만들 수 없다.

제6장 이벤트의 미래

'전시(展示)'에 대한 회의 ― 하노버 사건

2000년, 메세(Messe)로 유명한 독일 북부의 도시 하노버에서 만국박람회가 열렸다. '사람·자연·기술'을 테마로 내건 이 만국박람회는 1970년의 오사카, 1992년의 세빌리아의 뒤를 잇는 20세기 마지막 일반박람회로, 2000년 6월부터 10월까지, 기존의 국제견본시 행사장과 그 주변 170헥타르의 장소를 사용해 개최되었다.

환경을 주요 컨셉으로 잡은 독일인다운 성실한 박람회였지만, 입장자 수는 목표인 4,000만 명의 절반에도 미치지 않는 1,800만 명에 머물러, 1조 2,000억 원의 적자를 내는 결과로 끝났다.

업무상 나는 최근 수십 년 사이에 열린 국제박람회를 모두 보아왔지만, 확실히 하노버 박람회는 약동감이나 매력이 전혀 없었다. 컨셉은 저것으로 좋았던 것인지, 일반 시민의 방문 동기를 잘못 예측하지 않았는지, 행사장 운영방법에 문제는 없었는지…… 어쨌든 생각하게 되는 것이 많은 박람회였다.

그중에서도 제일 마음에 걸린 것은, '전시'의 방향을 분명하게 예측할 수 없었다는 사실이다. 나는 하노버에서 박람회 전시의 힘이 크게 떨어지기 시작하고 있다고 느꼈지만, 제작자측이 무엇을 하면 좋을지를 알지 못하고 있는 것이 그 최대의 원인이 아닐까 생각했다.

전형적인 현상은 생각 없이 프로젝터에 의지하는 파빌리온이 실로 많았다는 것이다. 최근 들어, 해를 거듭할수록 액정 프로젝터가 밝고, 작고, 가벼워진 데다, 믿을 수 없을 정도로 가격이 저렴해졌다. 옛날과는 달리 지금에 와서는 벽에 간단한 영상을 비추는 것쯤은 아무것도 아니게 된 것이다.

그래서 모두들 벽이나 스크린에 정신없이 영상을 비춘다. 간단하고 값이 싸기 때문에 우선 공간을 영상으로 메울 뿐이다. 선진국관은 대부분이 그랬다.

이러한 플랜은 '메시지는 모두 영상 속에 있습니다'라고 말할 수 있기 때문에, 계획 시점에서는 비용 대비 효과가 높은 합리적인 아이디어로 비친다. 틀림없이 순조롭게 승인되고 실시하는 단계로 진행되었을 것이다. 하지만 이것은 그 취지에 반해 실제 호소력이 미약하다. 다소 큰 화면 정도만으로는 아무도 놀라지 않고, 같은 형식의 파빌리온을 계속 보고 있으면 점차 집중력이 떨어져간다.

제작자측은 프로젝터로 전시가 성립된다는 사실에 안심해버리기 때문에, 거기서 사고(思考)가 멈추어 그 이상의 것을 생각하려들지 않게 된다. 관심은 영상 소프트의 내용만으로 향하게 되어, 완성도가 높은 '작품'을 만들기에 몰두한다. 그 결과 제작자의 의식은 점차 '공간'으로부터 멀어지고, 영상의 '자기완결성'만이 증대되어간다.

하지만 개별적인 작품으로서의 완성도는 높아질지 몰라도, 아니, 그럴수록 공간미디어로서의 파워를 잃어버리게 된다.

한편, 넓은 행사장 안에는 이와 같은 전시에 지친 관람객을 편안하게 하는 파빌리온이 있었다. 아시아나 아프리카 등, 이른바 개발도상국의 파빌리온이다.

그중 아프리카관에서는 '아프리칸 마켓'을 떠올리게 하는 환경을 만들어, 그 안에서 다양한 민속공예품을 팔고 있었다. 마루에 주저앉은 쾌활한 흑인 아주머니가 지나가는 손님에게 적극적으로 말을 걸고, 손님쪽에서도 아주머니에게 장난을 치기도 하면서 즐거운 듯이 여유롭게 장내를 돌아다니고 있다.

아프리칸 모티브의 공간, 둥글게 살찐 판매원 아줌마, 이미지 그대로 아프리카 같은 상품들, 여기저기 가득한 웃음소리와 소란……. 단지 걷고 있는 것만으로도 설레는 즐거움이 있었다.

또 다른 파빌리온의 예로 스리랑카관이 있었다. 입구를 들어가자마자 카페테리아가 줄지어 있고, 거기서 요리를 들고 안쪽으로 들어가면, 스테이지와 테이블이 있다. 그곳에서 관객은 카레를 먹으며 여유롭게 현지의 춤이나 민속음악을 즐길 수 있었다.

이러한 스타일의 파빌리온은 이전부터 있었고, 개발도상국들의 파빌리온은 대개 이런 형태를 띤다. 박람회 출전은 방대한 비용이 들기 때문에 물건이나 음식의 판매 수입에 의지하지 않을 수 없었던 것이다.

지금까지 이런 종류의 파빌리온은 '유사 매점', '유사 극장형 레스토랑'이라고 불렸고 박람회의 조연 정도로만 만족해야 했다. 하지만 하노버에서는 많은 선진국관들을 제치고 관람객의 마음을 사로잡은 듯해보였다. 지금까지 이런 인상을 받았던 적이 없었다. 역시 무엇인가 바뀌고 있는 것이다.

전시 방법이 어딘지 모르게 분기점에 와 있다는 사실은 제작자 모두 느끼고 있다. 지금까지의 방식을 계속 고수할 수만은 없다는 것을 알고 있지만 어떻게 해야 좋을지는 모른다. 그렇기 때문에 아무 생각 없이 '프로젝터의 유혹'에 넘어가버리는 것이다.

물론, 나는 아프리카관이나 스리랑카관을 칭찬하고 있는 것이 아니다. 그러나 질이 매우 좋았다고 할 수 없을지는 몰라도, 이들 파빌리온에는

하노버 만국박람회 오스트리아관 — '아무것도 말하지 않는' 파빌리온

공간성, 체감성, 인터랙티브성의 모든 것이 있었다.

이것저것 생각하면서 행사장을 걷고 있는 동안에, 마침내 놀랄 만한 파빌리온을 만났다. 오스트리아관이었다. 오스트리아관을 보았을 때 나는 나의 눈을 의심했다. 어쨌든 전시다운 전시가 일절 없었던 것이다. 푹신푹신한 융단이 깔려져 있을 뿐, 정말로 아무것도 없는 '마루'만이 있었다. 그리고 벽에는 '푹 쉬십시오'라고 써 있었다.

쿠션과 음악이 마련된 기분 좋은 공간에, 발 디딜 곳조차 없을 정도로 많은 사람이 널브러져 누워 있었다. 박람회를 보며 걷는 것은 매우 지치는 일이지만, 보통 눕는 장소 같은 건 없다. 따라서 매우 고마운 일이었다. 나도 두 시간 정도 숙면을 취했다.

이 나라는 물건이나 영상은 물론, 살아있는 인간이나 공간 등 대략 메시지가 될 만한 것을 모두 포기하고 '아무것도 말하지 않는다'는 방법을 선택했다. '정보 어필'은 처음부터 단념하고 있었다.

아니, 단념한 것이 아니라 계산해낸 전략인지도 모른다. '아무것도 말하지 않는' 파빌리온에는 그 정도로 강렬한 임팩트가 있었다. 어쨌든 내가 아는 한 이런 파빌리온은 처음이었다.

나는 이 오스트리아관을 보고, '정보를 어필하는 것'이 파빌리온의 존재 가치라는 당연한 상식이 드디어 요동치기 시작했다고 생각했다. 만약 그렇다면 그 배경에는 '전시'에 대한 회의감과 실망감이 있다고 밖에는 생각할 수 없다.

하노버에서는 거의 모든 파빌리온을 볼 수가 있었지만, 지금까지 인기관을 만들어온 나라들이 모두 고민하고 있다는 것을 잘 알 수 있었다. 박람회 전시는 틀림없이 갈림길 앞에 놓여 있었다.

그리고 사실 이 고민은 박람회 전시에 한정된 것이 아니라 이벤트 전체, 혹은 공간미디어 전체의 문제이기도 했다.

디지털 미디어와 공간 미디어는 '경쟁적 공존관계'

지금, 미디어로서의 이벤트에 대한 막연한 불안감이나 의심이 싹트기 시작하고 있다. 최근 들어 이벤트의 비용 대비 효과를 냉정하게 재검토해야 한다는 말을 많이 듣게 되었다. 그 중에서도 '전시'에 대한 곱지 않은 시선이 증가하고 있다. 그것은 단지 근래의 어려운 경제상황의 영향 때문만이 아니라, 전시가 가지는 정보 기능이 상대적으로 저하하고 있는 것처럼 보이기 때문이다.

이유는 이미 말할 필요도 없다. 바로 IT의 출현과 그 급속한 진전을 핵으로 하는 정보환경의 격변이다.

우리들의 생활을 둘러싸는 정보환경은 극적으로 변모하고 있다. 인터넷, 전자 메일, 모바일 PC 등, 지금에 와서는 매우 당연한 아이템조차도, 이렇게까지 된 것은 겨우 수 년 동안의 일일 뿐이다. 이제는 젊은이의 몸의 일부라고도 할 수 있는 휴대폰 역시 불과 몇 년 전까지만 해도 자기가 그것을 가지고 다니리라고 상상했던 사람이 아무도 없었다. 새로운 정보 매체의 대두와 그 급속한 전개는 문자 그대로 상상을 초월한다.

이러한 가운데 '정보 혁명의 시대에 있어, 전시라는 미디어는 지금도 효력을 유지하고 있는가', '새로운 미디어가 잇달아 등장하는 가운데, 굳이 전시라는 비효율적인 수단을 선택하는 것이 합리성이 있는가' 등, 의심과 동요의 목소리가 메아리치고 있다.

'박람회는 인터넷으로 대체할 수 있다', '사이버 사회에 전시회는 불필요하다'는 등의 말들이 설득력을 가지는 것처럼 느껴지는 것도, 무의식 속에 그러한 기분이 침투하고 있기 때문일 것이다. '멀티미디어의 시대에 일부러 집객을 해야 하는 이벤트는 이미 시대착오적인 발상'이라는 그야말로 시대에 뒤떨어진 논조가 판을 치고 있다.

하지만 디스플레이도, 이벤트 자체도, 결코 그 정보기능을 약화시키지 않았고, 미디어로서의 존재 의의를 저하시키지도 않았다. 이 책을 여기까지 읽어주신 분이라면, 매스미디어나 디지털 미디어가 이벤트를 대체하지 못한다는 것은 이해할 수 있다고 생각한다.

물론 자각이 부족한 이벤트가 많은 것도 사실이다. '팸플릿을 늘어놓은 것 같은 상품전시회'나 '교양 프로그램이 흐르고 있을 뿐인 박람회'라면, 인터넷으로도 충분하고, 그쪽이 훨씬 더 합리적이다. 당연한 말이지만, 이벤트가 살아남기 위해서는 이벤트만이 가지는 특성을 살리는 것 이외에는 방법이 없고, 그것을 할 수 없다면 새로이 나타나 점차 진화하는 신흥 미디어에게 길을 양보할 수밖에 없다.

그러나 중요한 것은 IT와 이벤트는 단순한 경합 관계에 있는 것이 아니라는 사실이다. 나는 IT와 이벤트는 처음부터 보완관계에 있다고 생각한다. 디지털 미디어와 공간미디어의 관계 자체가 그럴 것이라고 생각한다. 양자의 관계는 LP레코드가 CD로 교체된 것 같은 '대체관계'가 아니라, 커피와 프리마 같은 '보완관계'이며, 어느 쪽이든 한 쪽이 성장하면 다른 한 쪽도 함께 성장해가는 관계이다.

실제로 음악이 인터넷으로 전달되는 시대가 되어도 결코 콘서트는 없어지지 않고, 위성방송이나 비디오 대여점이 아무리 많이 보급돼도 영화관은 없어지지 않았다. 오히려 콘서트는 동원력을 올리고 있고, 영화관도 시네마 콤플렉스(복합영화관)를 비롯하여 새로운 스타일로 발전해가고 있다.

마찬가지로 인터넷의 출현으로 아무리 지역간 정보격차가 해소되어도 서울의 인구집중 문제가 전혀 해소되지 않는 것은, 송달형(送達型) 미디어를 통해서 정형 정보가 흘러넘치면 넘칠수록 비정형(informal) 정보교환이나 대면적(face to face)인 교류에 대한 욕구와 중요성이 높아지기 때문이라고 생각된다. 정년퇴직자들이 전자 메일을 시작한 결과, 동창회가 증가하고 있다는 것과도 같다.

결국 우리들은 송달형 미디어와 집객형(集客型) 미디어의 균형을 바라고 있는 것이다. 메일이 빈번하게 오가면 자연스럽게 직접 만나 이야기하고 싶어진다. IT와 이벤트의 관계도 이와 같고, 디지털 환경이 진전되면 될수록, IT에는 없는 이벤트만의 독자적인 특성에 대한 수요와 기대는 높아질 것임에 틀림없다.

다만 디지털 미디어와 공간미디어가 무조건 공존관계에 있다고 생각하는 것은 착각이다. 방심해서는 안 된다. 정면에서 서로 부딪치는 적대적 관계까지는 아니지만, 국지전은 지금부터 더욱 더 격렬해질 것이고, 여러 방면에서 파워게임이 펼쳐질 것이다.

간단하게 말하면 지금부터 양자는 '경쟁적 공존관계'가 되어갈 것이다. '서로 자신의 영역을 넓히는 격렬한 승부를 펼치면서도, 상대만이 할 수 있는 것은 상대에게 맡겨 그것을 다시 흡수하는 방식으로 스스로 파워업(power-up)을 꾀한다'는 구도이다.

그 결과 자기의 기능과 역할을 자각하는 것만이 살아남아, 살아남은 미디어는 현재 이상의 힘을 가지게 된다. 반대로 아무것도 생각하지 않고 우물쭈물 상대방의 영역에 비집고 들어가면 순식간에 퇴장당하고 만다.

손쉽고 저렴한 디지털 미디어와 같은 판에서 싸워서 이벤트가 이길 수 있을 리가 없는 것이다. '인터넷으로 전달하는 것과 다를 바 없는' 이벤트는 이제는 살아남을 수 없다.

'형식을 모방했을 뿐', '정보를 일방적으로 흘려보낼 뿐', '라이브 감각이 희박'한 이벤트는 앞으로 틀림없이 도태되어갈 것이다.

물론 이것은 전시를 기본 원리로 하는 박람회의 전시이벤트에 한정되지 않는다. IT라는 외압을 받아, 이벤트는 지금부터 엄격한 절차탁마의 시대를 맞이하게 된다.

하지만 그것은 새로운 기회이기도 한다. 다른 미디어에는 없는 이벤트만의 파워가 더욱 커져갈 것이기 때문이다.

이벤트는 '생산되는 것'이 되었다

일본의 이벤트가 '근대화'한 것은 오사카 만국박람회 때부터이다. 물론 그 이전에도 행사는 여러 가지가 있었고 프로도 있었다. 하지만 오사카 만국박람회 이후로는 이벤트를 둘러싼 상황도, 이벤트를 '만드는 방법'도 완전히라고 말해도 좋을 만큼 바뀌었다.

가장 큰 변화는, 다양한 직능이 전문적으로 분화되고, 하나의 프로젝트를 많은 전문가들이 분담해 '시스템'으로 수행되게 된 것, 그리고 이벤트 속에 근대적인 관리기술이 도입된 것이다. 즉 오사카 만국박람회를 계기로 이벤트가 근대적인 구조를 획득하고 시스템을 기반으로 서비스를 제공할 수 있는 체제를 갖추었던 것이다.

'세계의 레벨'을 경험해 프로가 된 이벤터와 하나의 '산업'을 형성하기 시작한 관련 업체가 맞물린 톱니바퀴를 이루어, 이벤트는 그 후 지속적으로 발전했다.

경제 성장이나 이동성(mobility)의 향상이라는 요인이 결정적인 역할을 했던 사실은 말할 필요도 없지만, 이벤트의 성장은 반드시 그것 때문만은 아니다. 이벤트의 사업성이 대폭 안정된 요인도 컸다. 요컨대 사업의 위험부담이 크게 줄어든 것이다.

오사카 만국박람회를 통해 근대적인 이벤트를 몸으로 체험한 전문가들은, 새로운 시스템을 통해 이벤트를 보다 큰 시장으로 성장시키고 싶어했다. 하지만 원래 이벤트는 '흥행'이며, '리스크' 덩어리이다. 불특정 다수를 상대로 할 때는 더욱 더 그렇다. 그러나 위험부담을 줄이지 않으면 의뢰는 증가하지 않고, 실패가 계속되면 시장이 작아진다.

그래서 이벤터는 '리스크의 경감'에 에너지를 쏟았다. 위험부담을 줄이기 위해선 시스템화와 매뉴얼화가 가장 좋기 때문에 박람회에서부터 골프 대회에 이르기까지, 그들은 이벤트의 형식과 사업구조의 시스템화를 진행시켜 '양식'으로서의 완성도를 높여갔다.

합리화·효율화·보급화를 추진한 효과는 압도적이었으며, 어떤 형식의 이벤트라도 '양식'을 따라 전개하고 있는 한, 치명적인 실패를 맛볼 확률이 감소했다. 누구라도 안심하고 이벤트를 사용할 수 있게 되었다.

그리고 마침내 이벤트 중에서 가장 위험부담이 크고 고도의 계획 기술을 필요로 하는 박람회조차, 지방 행정기관이 시책 리스트 속에 집어넣을 수 있게 되었다. 연간 15개의 박람회가 열리는 나라는 일본뿐이다. 이와 같이 위험부담을 없애 이벤트를 보급시키려는 당초의 계획은 훌륭하게 달성되어 이벤트 시장은 급격히 확대되었다.

하지만 그것은 동시에 '리스크에 맞서 도전하는' 본래의 이벤트에서 멀어진 것이기도 했다. 이벤트는 위험부담의 감소와 생산 효율의 향상이라는 성과를 얻은 반면에 매너리즘에 대한 비판을 감수해야 하는 입장이 되었다. 극단적으로 말한다면, 지금 이벤트에 대한 이미지는 '창조되는 것'이 아니고 '생산되는 것'이다.

형식을 따를 뿐인 이벤트는 이미 이벤트가 아니라고 반복적으로 언급해왔다. 이벤트 본래의 파워를 최대로 살리기 위해서는 '생산'으로부터 '창조'로 방향을 되돌리는 것이 필요하다고 생각한다. 이대로라면 결국 많은 이벤트가 성인식과 같이 힘을 잃어갈지도 모르는 것이다.

그러나 '리스크를 두려워하지 말고 새로운 도전을' 외치지만 이것은 말처럼 그렇게 간단하지가 않다.

리스크에 맞설 수 있는 환경 만들기가 급선무

'리스크를 각오한다'는 것은 즉 '실패를 받아들이는 것'이다. 실패를 허락하지 않으면 위험부담을 안고 진행할 수 없고, 안전한 길부터 내디딘다면 실패를 각오해야 한다. 당연한 얘기이다.

즉 위험부담을 안고 진행하려 하는 것은 '백발백중의 성공을 단념하는' 것임에 틀림없다. 마이크로소프트 사의 빌 게이츠는 '세 개를 맞추기 위해 백에 투자한다'고 말한다. 나머지 아흔 일곱을 버릴 각오가 없다면 세 개의 성공조차 손에 넣을 수 없다는 것이다.

물론 '흥하든 망하든 해보는' 것만이라면 누구라도 할 수 있다. 하지만 그것은 아마추어가 하는 것이며, 프로의 일은 아니다. 빌 게이츠도 아무 생각 없이 백을 선택할 리는 없고, 선택한 이상은 모든 것을 성공시키려고 최대한 노력할 것임에 틀림없다.

흔히 언급되듯이, 우연히 홈런을 치는 것은 아마추어도 할 수 있지만, 어떤 조건하에서도 계속 득점할 수 있는 것이 프로다. 이런 의미에서 말하면, 프로의 일이란 실패의 리스크를 가능한 한 없애는 것이라고 봐도 좋다.

앞에도 서술했지만 이벤트력의 원천인 '1회성'을 살리기 위해서는 '위험부담을 각오로 도전하는' 일이 필요하고, 그것을 수행하는 데는 '리스크의 싹을 없애는' 일을 피할 수 없다. 프로가 해야 할 일은 그 밸런스를 잡는 것이다.

그러나 현재 상태로는, 클라이언트는 물론 이벤터 자신조차, 이벤트의 성공을 '백발백중'의 것이라고 생각하고 있다. 본래 이벤트가 제일 자랑으로 여기는 것은 '시험삼아 해보는 것'이지만, '실패만은 하지 말라'고 한다면 아무래도 확실히 안전한 방향으로 나아가고 싶어지기 마련이다.

실제적인 예를 들어보자. 만약 행정기관 이벤트가 적자를 내면, 그 지역은 야단법석이 된다. 의회에서 문제가 제기되고 매스컴에서는 비판이 쏟아진다.

만일 이벤터가 위험부담을 안고 진행시키려고 해도, 클라이언트나 사회가 그것을 허락하지 않으면 실행에 옮길 수 없다. 만약 작은 실패가 허용되는 환경이 되면, 이벤트를 둘러싼 상황은 크게 바뀔 것이다.

나는 지금부터 이벤트의 세계에도 '탈출 시나리오(exit scenario)'가 필요하다고 생각한다. 미리 일정한 한계점을 정해놓고, '실패를 각오로 도전하지만, 리스크의 한계점에 이르면 철회한다'는 시나리오를 준비해 프로젝트에 임한다는 사고방식이다. 만약 행정기관 이벤트가 이 규정으로 운용되면 이벤트의 가능성은 틀림없이 크게 확대될 것이다.

동시에 한편에서는 평가방법을 재검토하는 것이 필요하다. 현재 이벤트를 평가하는 일반적인 지표는 '방문객수'와 '수지'밖에 없다. 객관적이고 정량적으로 잡을 수 있는 지표가 이 두 가지밖에 없기 때문이기도 하지만, 결과를 간단히 판정할 수 있는 간편함이 있다. 관람객수가 목표를 넘고 적자가 나지 않으면 '성공'했다고 자랑할 수 있으니 제작자측에서도 일 면에서 편한 방법이지만, 이것으로는 '사명'이나 '효과'라는 요인이 반영되지 않는다.

물론 방문객수와 수지는 중요하다. 동원력도 수지도 문제삼지 않는다면 그것은 이미 취미일 수밖에 없다. 하지만 이 두 가지만으로는, 지금까지 여러 가지 예를 들어 소개한 후쿠오카의 아시아 효과나 미에현의 관민협동체험 같은 '무형의 효과'는 평가받을 기회도 없이 일이 끝나 버린다. 지금 상황이 바로 그렇다. 눈으로 보이지 않는 '프로세스'는 결코 빛을 볼 수 없다.

만일 위험부담을 떠안을 각오로 모험한 결과, 지금까지 없었던 새로운 파급효과를 남길 수가 있었다고 해도, 두 개의 지표 중 어느 것 하나가 충족되지 못한다면 실패의 낙인이 찍혀버린다. 그렇게 되면 그 시점에서 싹이 잘려버리는 꼴이 된다.

이벤트를 질적인 면에서 평가할 수 있는지의 여부가 앞으로의 큰 과제인 것이다.

지속적인 이미지 쇄신

그리고 또 하나. 안정되어 있는, 다시 말해 경직되어 있는 방법론을 바꾸려는 시도가 불가피하다. 완전히 새로운 스타일을 창조하는 것이 이상적이지만, 적어도 '시스템'이나 '양식'을 새로 짜넣는 노력이 필요하다.

이 점에서 내가 배워야 한다고 생각하는 것은 '모닝 무스메(モーニング娘。)'*다. 농담이 아니라 진심으로 그렇게 생각하고 있다.

---

* 13명의 소녀로 구성된 일본 댄스뮤직그룹.

‘모닝 무스메’는 분명히 지금까지의 아이돌 스타와는 다르다. 그들은 고객의 관심을 계속 끌기 위해서 끊임없이 ‘신제품 발표’와 ‘리뉴얼(renewal)’을 반복한다. 분명히 이것은 브랜드 전략이다.

풋치모나(プッチモニ), 민들레(タンポポ), 미니모나(ミニモニ), 삼인축제(三人祭)…… 등 ‘모닝 무스메’ 패밀리를 소그룹으로 분해하여 재편성한 ‘유닛(unit)을 차례로 증식시키는 방식을 취함으로써, 각각의 브랜드는 변화가 풍부한 상품들이라는 평가를 받았다. 물론 모체인 ‘모닝 무스메’ 자신도 멤버의 리뉴얼을 잊지 않는다.

언제나 새로운 모습을 보여주기 때문에 관객은 언제까지나 질리지 않고 볼 수 있다. ‘개인의 존재감’에 의존하는 종래의 아이돌 시스템으로는 금방 실증나는 것을 피할 수 없지만, ‘모닝 무스메’와 고객과의 관계는 항상 신선한 상태가 유지된다.

‘모닝 무스메’의 성공 비결은 탤런트 자신의 개성이라는 불안정한 요소에 의지하지 않고, 인기를 안정적으로 지속시키는 새로운 시스템을 개발한 결과라고 해야 할 것이다.

그들이 인기 유지를 위해 선택한 수법 중 특기할 만한 것은, 무엇보다도 변화를 반복하는 ‘패키징’의 묘이다. 차례로 새로운 편성 컨셉을 낳아, 그 때마다 신선한 이미지를 담은 유닛을 선보인다. ‘모닝 무스메’의 소모를 막고 있는 것은, ‘패키지의 꾸준한 쇄신’이라는 아이디어이다.

박람회, 상품전시회, 전시회, 국제회의, 심포지엄, 콘테스트, 영화제, 음악제, 재즈 축제, 물산전, 비즈니스 포럼, 상담회, 딜러 미팅(dealers meeting)…….

평소 우리들이 말하는 이벤트의 유형이 결국은 패키지 형태이지만, 지금까지 이벤터는 패키지 그 자체의 개발이나 변혁에는 그다지 관심을 두지 않았다. 이벤터가 노력해온 것은 패키지의 세련과 합리화이고, 목표로 하고 있던 것은 안정과 제도화였다.

하지만 선인들이 남겨준 '시스템'이나 '양식'이라는 유산도 벌써 바닥
이 드러나고 있다. 매너리즘이 지적되는 패키지도 적지 않고, 제도상의
피로가 표면화되기 시작한 패키지도 있다. 새로운 패키지의 개발이 불가
피하게 되었다.

'모닝 무스메'의 인기의 비밀은 '츤쿠(つんく)가 작곡해주는 히트 곡'
만이 아니다. '모닝 무스메'는 패키지를 끊임없이 쇄신(renewal)함으로써
'소비'로부터 벗어나는 것에 성공했다.

그러한 노력이 요구되고 있는 것은 이벤트도 마찬가지이다. 그러나
'모닝 무스메'와 달리 이벤트의 패키지 재구축에는 큰 에너지가 필요하
고, 그만큼의 위험부담도 크다. 간단히 할 수 있는 일이 아니다. 하지만
그밖에는 선택사항이 없다.

'이야기'를 되찾아라

이제부터 이벤트가 소중히 해야 한다고 생각하는 것의 하나로 '이야
기'를 되찾는 것, 그리고 '축제'로 되돌아가는 것이 있다.

하노버 만국박람회를 전후해서, 아와지시마(淡路島)에서 개최되고 있
던, '아와지(淡路) 꽃박람회'라는 국제 원예·조경박람회를 보러 갔다. 칸
사이(關西) 공항 건설을 위한 토사채굴장이었던 곳을 행사장으로 삼았다.
황량한 황무지로 변해버렸던 곳을 아름다운 초록빛으로 재생했다는 것
이 이 박람회의 'PR 포인트'였다.

국제 원예·조경박람회는 국제원예가협회(A.I.P.H.)라는 국제조직이 승
인하는 '꽃과 초록'을 취급하는 박람회다. 이 박람회는 박람회 국제 사
무국(B.I.E.) 소관의 이른바 국제박람회와는 완전한 다른 것이지만, 유럽
을 중심으로 활발하게 전개되고 있는 이벤트이다. 덧붙여서 1990년에

오사카에서 열린 '꽃박람회'는 국제박람회와 원예박람회의 더블 네임 (doubble name)이었다.

아와지 꽃박람회는 100헥타르의 행사장 중앙에 영구적으로 정비된 대규모 공원을 중심으로, 상품전시회 부스와 같은 형태로 각국이 출전하는 '정원'과, 주최자가 만드는 파빌리온 등으로 구성되어 있었다.

하지만 나의 흥미를 끈 것은 그러한 박람회 시설이 아니었다. 행사장의 가장 안쪽에 만들어져 있던 '아와지 꿈 무대'라는 이름의 복합 건축물들이었다.

이는 호텔, 온실, 국제회의장, 야외극장 등이 들어선 영구 건축물로, 안도 타다오(安藤忠雄) 씨가 설계한 것이다. 대규모 복합 시설임에도 불구하고 과연 안도 씨다운 긴장감과 아름다운 경관을 만들어내고 있었다.

그 한 쪽의 광대한 경사면에 '햐쿠당엔(百段苑)'이라고 명명된 입체적인 큰 화단이 있었다. 4.5m 사방에 100개 화단이 계단상태로 경사면을 달려오르는 독특한 디자인도 역시 안도 씨의 작품이었다.

여기에 오르면 누구나 '초록의 재생'이라는 컨셉을 직감적으로 이해할 수 있다. 어쨌든 민둥산이었던 곳이 초록의 입체 조형으로 다시 태어났던 것이다. 볼 만했다. 더할 것 없는 훌륭한 연출이었다.

그곳에 서면 신기한 만족감이 밀어닥쳐왔다. 지금까지의 박람회에서는 느껴본 적이 없는 감각이었다. 이 정체를 알 수 없는 충족감은 어디서 비롯된 것일까를 생각해보니, 짐작할 수 있었다.

'개발을 버리고 일부러 보전의 길을 선택했다', '수목을 이식하는 것이 아니라, 묘목을 기르는 것부터 시작했다', '건축공사 착공보다 먼저 녹화작업을 시작했다', '주역은 숲과 자연이고, 건물이 아니다', '몇 년 후에는 건물이 초록에 가려져 안보이게 될 것을 바라고 설계했다' 등.

안도 씨가 텔레비전이나 잡지에서 반복해서 말했던 메시지가 무의식 가운데 뇌리에 스쳤다. 눈앞의 광경을 바라보면서 무의식중에 그의 말에 긍정하게 되었다. 방문객들의 표정에서 만족감을 찾아볼 수 있는 것은 틀림없이 그 때문이라고 생각했다.

이벤트에 있어 가장 중요한 것, 아마 그것은 '이야기'일 것이다. 이벤트는 이야기를 담고 있을 때 가장 큰 위력을 발휘한다. 이야기란 비일상적인 것이니까, 이야기가 비일상적 행사인 이벤트를 보강하는 것은 당연한 일이다.

실제로 어떤 축제에도 신화나 전설이 있다. 이야기를 갖고 있지 않은 축제는 없다. 전승된 제사 의식이나 제구 하나 하나에 '유래'가 있고, 고유한 의미를 가지고 있다.

단순히 말하면 축제란 이야기를 '추가 체험'하는 것이다. 축제가 비일상성을 획득할 수 있는 것은 신화나 전설에 몰입하기 때문이다.

따라서 이야기가 없는 축제에는 구심력이 없다. 단지 춤출 뿐이라면 윤무와 같은 것이고, 옛 의상을 입고 행진할 뿐이라면 가장 행렬에 지나지 않는다.

아무리 정교한 무대 장치를 만들어도, 그것만으로는 비일상이 되지는 않는다. 올림픽의 성화 역시 멀리 그리스에서 옮겨져오기 때문에 설득력을 가지는 것이지, 아무리 훌륭한 성화대를 만든다 해도 라이터로 불을 붙인다면, 그것은 이야기가 될 수 없다.

생각해보면 '달의 돌'도 그랬다. 어쨌든 오사카 만국박람회가 있기 전의 해, 일본의 대다수 사람들이 텔레비전 앞에 못 박힌 듯 텔레비전에 시선을 고정했다. 인류가 달에 내려서는 장면을 가슴 졸이며 지켜보았다. 물론 나 역시 그랬다. 세기적인 순간이었으므로, 이 날은 아이들도 밤늦게까지 깨어 있는 것이 허락되었다.

그만큼은 아니다. 가가린(Gagarin)의 첫 비행, '지구는 파랗다', 가열되는 미국과 소련의 우주 개발 경쟁, 제미니 계획의 사고, 아폴로 8호의 달 선회 성공……. 누구나 10년에 이르는 다이나믹한 드라마를 기억하고 있었다. '달의 돌'은 이야기를 담고 있었고, 관람객은 장대한 이야기의 심볼로서 그것을 보고 있었다.

아와지 꽃박람회는 강력한 이야기를 담아낼 수 있었다. 방문객들은 무의식적으로 거의 설화가 된 이 이야기를 행사장에 가지고 와, 안도 씨의 극적인 공간 안에서 그것을 추가로 체험한다. 그곳에 있는 것은 '축제'와 같은 것이었다.

안도 씨는 공간에 이야기를 담았다. 그는 건축이라는 하드웨어와 전설이라는 소프트웨어를 묶어 하나의 작품으로 완성시켰다. 그리고 그것이 꽃박람회를 지탱했다. 안도 씨의 분명한 한판승이었다.

이벤터는 다시 축제의 원점으로 되돌아가, 이벤트에 이야기를 되찾아주는 노력을 해야 한다. 안도 월드(Ando World)에 잠기면서 그렇게 생각했다.

설교는 감동을 주지 못한다

중요한 것은 안도 씨의 이야기가 우리들을 상쾌한 기분으로 만들어준다는 것이다. 자연이나 환경이라는, 자칫하면 거창하게 내건 '훈계'가 되어버릴 만한 테마인데, 안도 씨는 자신의 테마를 '훈화'로 전락시키지 않고 '이야기'로 끌어올렸다.

실은 이전부터, 많은 이벤트가 특히 박람회 전시이벤트가 점점 설명조가 되어가는 기분이 들었다. '논리'로 이해시키려는 방향으로 나아감에 따라 직감으로 체득하는 구조로부터 멀어지고 있는 듯해보였다. 요컨대 설교 티가 나기 때문이다.

하노버 만국박람회가 확실히 그랬다. 분명히 말해서, 이념도 내용도

너무나 설교 티가 났다.

환경을 테마로 채택한 이상, 어쩔 수 없다는 면도 있다. 환경 문제나 에너지 문제가 점차 심각해지고 있는데다, 이제까지와 같이 장미빛 '꿈'이나 '미래'를 그리는 것 따위는 어렵게 되었다. 지금의 시대에 오사카 만국박람회의 재현을 바라는 것은, 아무래도 지나치게 순진한 욕심일 것이다.

그러나 그렇다고 해서 설명적인 이벤트가 칭찬을 받을 수는 없는 것이다. 방문객은 공부하러와 있는 것도 아니고, 하물며 반성하기 위해서 입장료를 지불한 것은 더욱 아니다. 관객이 이벤트에 요구하고 있는 것은 예나 지금이나 '두근두근'하는 설레임이다.

하지만 설교에는 그것이 없다. 설교란 논리로 상대를 설득하는 것이지만, 프레젠테이션하는 측은 대체로 자신의 잘못에 대해서는 말하지 않기 때문에 이해하고 납득도 하며, 혹은 많은 경우 감탄도 한다. 하지만 '납득'이나 '감탄'에는 편안함도 설렘도 없다.

예를 들어 하노버의 테마관에서는 '자원의 낭비에 무관심한 부유층이 있는 한편, 굶는 아이들이 증가하고 있다'는 문구가 박힌 전시 공간 한 구석에, '공허하고 추워 보이는 공간 안에 누더기를 입고 절망 속에 혼자 웅크려 있는 소년'을 표현한 실제 사이즈의 재현 전시가 있었다.

말하고자 하는 것을 알 수 있고, 그 생각에는 공감한다. 하지만 뭐라고 표현할 수 없는 위화감을 지울 수가 없었다. 우울한 기분을 느꼈을 뿐만 아니라, 논리로써 도망갈 길을 막고 반성을 강요하는 듯한 느낌을 받았기 때문에다.

이벤트는 우뇌(右腦)를 위한 것

잘 알려져 있듯이, 인간은 자동적으로 우뇌와 좌뇌라는 '두 개의 뇌'를 상황에 따라 적절히 사용하고 있다. 우뇌가 주로 이미지적인 정보처리를 맡는 데 반해, 좌뇌는 주로 언어나 논리적인 정보를 취급한다. 머리로 생각하고 행동할 때는 좌뇌가 활동하고, 즐거운 행위나 무의식적인 일에는 우뇌가 활동하게 된다.

음악을 즐기는 것은 우뇌, 교과서를 이해하는 것은 좌뇌이다. 그러니까 같은 골프에서도 동료와의 즐거운 골프를 즐기는 경우는 우뇌가 일하지만, 신경을 곤두세우고 하는 접대 골프를 치는 경우는 좌뇌가 일하는 것 같다.

당연히 어느 쪽이 일하고 있는가에 의해 기분도 크게 달라진다. 좌뇌를 혹사시키면 뇌 안에 피로가 쌓여 스트레스를 느끼는 데 반해, 우뇌가 활발하게 일하면 쾌락물질이 분비되어 편안해진다. 긴 시간 PC의 모니터를 보다가 눈을 감고 음악을 들으면 기분이 바뀌는 것은 좌뇌가 쉬고 우뇌가 활성화되기 때문이다.

이렇게 생각해볼 때, 이벤트는 확실히 우뇌를 위한 것이다. 반복적으로 언급한 것처럼, 이벤트의 사명은 '시즐'의 공유일 뿐, 지식의 교시도, 논리의 송달도 아니다. 이벤트는 처음부터 '이해'보다는 '체감'에 맞는 미디어이고, 언어나 논리가 아니라 공간이나 체험이 '강점'이다.

이벤트란 '공간'을 대상으로 하는 것이지만, 원래 공간은 음악처럼 '느끼는' 것이지, 논리로 '납득'하는 대상이 아니다. 함부로 말할 수는 없지만, 학회나 국제회의도 이벤트이므로 기본적으로는 그렇게 이해해두는 것이 좋다. 즉 이벤트는 본래 우뇌적이다.

예로부터 그랬다. 축제의 날에는 일상의 틀과 신분계급 같은 것을 무시하고 술자리를 즐겼다. '하레'의 날에는 남녀노소 모두 뇌 속에서 쾌

30년 만에 찾아간 '태양의 탑' — 결국 이 탑만 남았다.

락물질을 계속해서 분비하고 있던 것임에 틀림없다.

이벤트는 쾌락이고, 또한 그렇게 되어야 한다. 참가자가 바라고 있는 것은 납득이나 감탄이 아니라, 감동이다. '축제'란 본래 그러한 것이다.

하지만, 지금 이벤트는 점점 '우등생'이 되어가고 있다. 매우 효율적으로 만들어지고 있고, 주최자도 향후 이용을 감안해 가능한 한 손실이 없도록 세심한 주위를 기울인다. 그리고 마침내 관람객에게 반성을 요구하기까지 이르렀다.

'축제'로 돌아가라

얼마 전, 30년 만에 '태양의 탑'을 방문했다. 그것은 지금도 압도적인 존재감으로 우뚝 솟아 있었다. 이렇게 컸던가 하고 놀라기도 했다. 그리고 '다시 한번 그 만국박람회를 보고 싶다'는 생각이 들었다.

타로 씨가 말하는 '엄청난 것'은 대단히 거침없는 것이었고, 우등생과는 너무나 거리가 멀었다. 그뿐만 아니라, 낭비를 생각하면 이만큼 쓸데없는 것이 또 없었다. 어쨌든 지나칠 정도로 거대하면서도 의미도 잘 알 수 없고, 나중에 딱히 용도가 있는 것도 아니다. 실은 관람객을 지상에서 지붕으로 옮기기 위한 수직 이동축인 것이다.

하지만 축제는 원래 '낭비적인' 것이다. 축제란 것 자체가 원래 대단한 낭비이다. 낭비가 없는, 우등생 같은 축제가 재미있을 리가 없다.

지금의 이벤트에 이 같은 어리석다고까지 할 만한 에너지가 있을까?
어떠한 것에도 교태부리지 않는 늠름한 정신성이 있을까?
이제 이벤트는 축제의 원점으로 되돌아가, 직선적으로, 단순하고 강력하게 행해져야 하지 않을까?

'태양의 탑'을 우러러보면서 어느새 그런 생각을 하고 있었다.

■ 지은이

히라노 아키오미

요코하마 국립대학 대학원 수료
현재 현대예술연구소(現代藝術研究所) 대표 이사
　　요코하마 국립대학 대학원 강사
　　일본이벤트업무관리자협회(JEDIS) 회장
저서: 『이벤트의 저력』, 『체감미술관』, 『이벤트 용어사전』, 『이벤트 플래닝
　　핸드북』 등 다수

대형 이벤트의 프로듀스, 지역 계획의 플래닝, 문화시설·집객시설 등의 기획·설계 등, 다양한 분야에서 기존의 개념에 사로잡히지 않은 참신한 아이디어를 제안해 높이 평가받고 있다.
그중에서도 내외의 박람회 프로듀스를 수없이 많이 다루어 해외에서도 그 수완을 인정받고 있다. 일본 국내에서는 세계축제박람회, 세계 불의 박람회를, 해외에서는 세빌리아 만국박람회, 제노바 국제박람회, 대전 국제박람회 등에서 일본관의 프로듀스·설계를 담당했고, 1998년 리스본 국제박람회에서는 일본 정부 출전의 종합 프로듀스도 맡았다.

■ 옮긴이

정무형

전주대학교 문화관광학부 객원교수

가나이 노부요시

호서대학교 디지털문화예술학부 문화기획전공 전임강사

이벤트의 마력

ⓒ 정무형·가나이 노부요시, 2003

지은이 | 히라노 아키오미
옮긴이 | 정무형·가나이 노부요시
펴낸이 | 김종수
펴낸곳 | 서울출판미디어

편집책임 | 고경대
편집 | 박우석

초판 1쇄 인쇄 | 2003년 12월 10일
초판 1쇄 발행 | 2003년 12월 20일

주소 | 413-832 파주시 교하읍 문발리 507-2(본사)
       121-801 서울시 마포구 공덕동 105-90 서울빌딩 3층(서울 사무소)
전화 | 영업 326-0095, 편집 336-6183
팩스 | 02-333-7543
홈페이지 | www.hanulbooks.co.kr
등록 | 2003년 12월 23일, 제406-2003-053호

Printed in Korea.
89-7308-127-6 93320

* 가격은 겉표지에 표시되어 있습니다.
** 서울출판미디어는 도서출판 한울의 자회사입니다.